U0126160

網絡文學的語言審美

李國正著

臺灣學生書局印行

網絡文學的語言審美

目　錄

引　言

從 1998 年 3 月到 5 月，臺灣成功大學水利系學生蔡智恒，以平均兩天一集的速度在網絡上發表了長達 34 集的小說《第一次的親密接觸》，掀起了「網絡文學」迅猛發展的浪潮。不少愛好文學的青年不再滿足於在 BBS 上貼一些小帖子，文學網站也就如雨後春筍應運而生，2002 年 4 月由上海師聯文化發展有限公司編製，上海三聯書店、上海電子出版有限公司出版的《英特網中國網址〔2002〕》列出的純文學網站就有 77 個。數百萬篇網絡文學文本以排山倒海之勢鋪天蓋地而來，到 2002 年 4 月為止，僅「榕樹下」一個網站庫存的電子文學文本就有 120 萬篇，其中不少文本被點擊數萬次，這就造成了 1999 年和 2000 年網絡上萬馬奔騰的文學景觀。看看書店裏印數不過幾千冊且不斷打折仍無人問津的文學書籍，這種反差實在叫人有點摸不著頭腦，難怪有人認為：「網絡的發展，會徹底改變傳統文學創作的思惟方式，引起文學的革命」。❶網絡文學的自主性、即時性、互動性、開放性較之傳統文學是明顯的長處，但其虛擬性、急就性、無責任性又使得不少人對網絡文

❶ 趙麗宏《序：網絡會給文學帶來什麼》，載榕樹下圖書工作室選編《2000 中國年度最佳網絡文學》，灕江出版社 2001 年 1 月版第 1 頁。

學產生困惑。誠然，網絡不僅是一種資訊傳播的工具，而且是一種生活方式，一種文化現象，因此它對文學創作不可能不產生影響。但是，如果認為網絡會徹底改變傳統文學創作的思惟方式，那就真可以說是有點危言聳聽了。文學不會因傳播介質的改變而革命，因為「網絡文學」或者「傳統文學」從本質上來說都並非網絡的文學或傳統的文學，而是人的文學。

我們的時代呼喚文學大師，然而眼下的網絡還遠未能提供產生大師的土壤。嚴鋒說：「在網絡時代，偉大的文學經典幾乎是不可想像的，大量存在的都是搞笑的短章，所有『發表』的東西都類似一種日常的宣洩，文學的格局變了，它不是對文學經典的爭相閱讀，而是你讀你的，我讀我的，或者乾脆是我讀『我的』（作品）。」❷其實，搞笑的短章再多也不可能改變文學的格局，因為這樣的東西究竟是否夠得上稱為文學文本都還是個可以商榷的問題。所以，大可不必到苗圃裏去尋覓大樹，至少目前還不能期望僅有幾年發展史的網絡文學領域出現大師級的作家。這一點，網絡文本的作者也很清楚，例如俞白眉就這樣說：「什麼是好小說？福樓拜馬爾克斯喬伊絲那幫大師們讓大師們去說。我就說說網上的字吧。安妮寶貝的《告別薇安》算嗎？SIGE 的《迷宮》算嗎？甯財神的《有種你丫別跑》算嗎？邢博士的《活得像個人樣》算嗎？尚愛蘭的《永不原諒》算嗎？這幫人怎麼這樣，誰跟誰都不一樣

---

❷ 嚴鋒《序》，載陳思和主編《2001 年中國最佳網絡寫作》，春風文藝出版社 2002 年 1 月版第 11 頁。

啊？」❸如果這些文本都算不上好小說，那所謂「網絡文學」也就不成其為文學了，這會不會是 2000 年以後網絡文學跌入波谷的原因之一呢？曾經寫過《迷失在網絡中的愛情》的李尋歡宣佈從網絡中走出來了，《中華讀書報》發表這則消息時在標題上面加上了這樣一段話：

> 他是最早涉足「網絡文學」的先鋒之一，也是第一個公開宣佈退出的。李尋歡坦言「放棄」是出於對網絡這個「玩具」的厭倦，以及對「真正文學」的敬畏。他的反思和行動發人深思。❹

如果所謂「真正文學」指的是傳統文學的話，似乎傳統文學與網絡文學是一對冤家了，這是一個誤會。傳統文學與網絡文學稱述不同恐怕主要是由於介質的差異，它們的本質應該是一致的。無論在甲骨或金石上契刻，還是在簡帛或紙張上書寫，文學仍然是文學；在鍵盤上敲打，在網絡上發表，文學依然是文學。只要是好的東西，寫在紙上與發在網上一樣都是好的，絕不會因介質差異而有所改變。沒有必要強分彼此。簡帛取代甲骨金石，紙張取代簡帛，網絡取代紙張，這是社會進步使然，終有一天，所有的作家都在網上寫作，整個世界都是網絡的天下。李尋歡們除非從此不再寫作，否

---

❸ 俞白眉《想剝小說的衣服》，載榕樹下圖書工作室選編《2000 中國年度最佳網絡文學》，灕江出版社 2001 年 1 月版第 291－292 頁。

❹ 《李尋歡：對李尋歡的放棄》，載《中華讀書報》2002 年 10 月 23 日第 17 版。

則，必將重新走進網絡。雖然有的作家把在傳統介質上寫好的文本放到網上發表，但更多的作者卻希望自己創作的文本能夠變成油墨印成的書籍。書籍的出版使網絡文學回歸傳統，在文本喪失了即時交互自由開放等優越性之後，與傳統文學的經典名著實在不可同日而語。這很可能是網絡作者對「真正文學」產生敬畏的客觀原因。不過，網絡的功能遠非紙張等傳統介質所能比擬，因此，網絡文學必然有其特點，這種特點首先是網上的環境對文本有一定的要求，其次也與作者的才情和努力有關。特殊的環境造就了有特色的文本，儘管從總體上看，《紅樓夢》是一座高山，《第一次的親密接觸》或許連小土堆也算不上，可是曹雪芹想到過用詩行的形式來涵蓋小說的內容嗎？沒有！這就是痞子蔡的特點。儘管這個形式特點不要說相對於《浮士德》或《葉甫蓋尼·奧涅金》，即使相對於古老的史詩來說，也不能不黯然失色。

傳統文學施加給網絡的負擔太沉重了，以致於人們總是自覺或不自覺地拿中外名著來與網絡上的文本相比較，而比較的結果自然不言而喻了，這使那些對傳統多少有些瞭解的網文作者不能不感到悲哀。文藝批評家們對所謂「網絡文學」持謹慎態度，稍有知名度的專業雜誌仍是傳統文學研究者的天下，幾乎看不到有深度的研究網絡文學的論文，更無論研究網絡文學的專著。如果前幾年有所成就的網文作者因此而紛紛退出網絡，那對整個文學創作的發展必然產生消極影響。與文藝批評界相反，出版界對網絡文學卻表現出較高的熱情，如灕江出版社連續 4 年出版了《中國年度最佳網絡文學》。此外，上海文化出版社出版的榕樹下網絡原創作品叢書，中國戲劇出版社出版的小說 E 世代書系和 LOVE　POST 書系，中國工人出版社出版的狐狸尾巴叢書，長江文藝出版社出版的網絡長篇書系，知識出版社出版的榕樹下網絡文學書系和網絡社區研究資料叢書，花城出版社出版的網絡之星叢書，杭州出版社出版的貝塔斯曼盃第三屆全球網絡原創文學獲獎作品，湖北教育出版社出版的網絡文學叢書，江蘇文藝出版社出版的《中國網絡詩典》……，這些從網絡上精選出來的文本使缺乏上網條件的讀者得以瞭解網絡文學的基本面貌，同時也為研究者提供了較有代表性的素材。出版界的熱情還表現在編輯的執著，灕江出版社的汪正球先生說：

> 連續四年，年度最佳網絡文學作品，都受到了廣大讀者的喜愛，保持了較好的發行量。回報之良策，便是盡一切可能地選出能最大程度地代表本年度網絡文學創作成就的作品，哪怕難免疏漏，也要使入選的作品兼具藝術性、思想性與可讀性，又獨具網絡作品的風骨，使網絡文學的作品，確實能與其他文體的創作明顯地區別開來，能獨開生面。❺

汪先生的願望是好的，不過，真要讓網絡文學「與其他文體的創作明顯地區別開來」恐怕永遠也辦不到，因為理論上網絡文學可以運用傳統的或現代的任何文體進行創作，網上的小說與網外的小說就文學體裁而言是沒有區別的。雖然文體毫無區別，但只要經過網文作者的不懈努力，「獨開生面」並非不可企及。事實是，網絡文學

---

❺ 汪正球《編後續貂》，載榕樹下圖書工作室選編《2002 中國年度最佳網絡文學》，灕江出版社 2003 年 1 月版第 312 頁。

已經初步展現出頗具特色的面貌，並且得到了不少網蟲的青睞。只要看看回應《第一次的親密接觸》的留言板，就會真切感受到：沒有一部傳統的經典文學文本，能夠贏得如此之多的當代讀者的激賞。賈寶玉和林黛玉畢竟是另一個時代的人，當代人更關心的是自己生活中的人和事。

把網絡文學真正作為一種新興的文學現象來研究的人本來就不多，注意到網絡文學文本語言特徵的人就更少了。浩如煙海的網絡文本令人眼花繚亂，其中乏味的垃圾信息觸目皆是，怎樣從這些文本中披沙瀝金尋找富有文學意味的篇章，怎樣從這些文學篇章中發現網絡作者的文學語言特徵，網絡文學語言給人們的文化和精神生活帶來了怎樣的審美感受，這些美學特徵與傳統文學有何聯繫與區別，它們對解讀文學文本和推動文學創新有何價值，這些都是值得探究的問題。

第一章
網絡文學語言的形式審美

這裏所謂語言形式是指文本中表達言語內容的符號形式以及符號的排列形式。言語的內容是通過識讀表達言語內容的符號而獲得的，內容含有信息，符號除了承載內容包含的信息而外，它本身也含有信息。符號本身的形式以及符號排列的形式是否具有美的特徵，直接關係到讀者的閱讀興趣和效果，有時甚至影響到對文本內容的理解。例如：

1.榕樹下青青草紅蜻蜓

2.榕樹下青青草　紅蜻蜓

3.榕樹下　青青草紅蜻蜓

4.榕樹下　青青草　紅蜻蜓

5.榕樹

下

青青

草

紅

蜻蜓

6.榕

　樹

　　下

青

　青

　　草

紅

　蜻

　　蜓

同樣的漢字符號，由於排列形式不同，審美感受和意義也就有了差別。第 1 句成平直的線形展開，留下了無限延伸的想像空間。由線形特徵出發，宇宙間凡與此形式相似的事物，理論上都可能引起聯想。但由於符號所承載內容的制約，想像的指向會自覺或不自覺地與符號承載的內容相融合。從符號排列的形式著眼，它具有豁達的平直美；從符號系列呈現的意象看，它具有樸素的自然美；從意象映現的色彩看，它具有「萬綠叢中一點紅」的鮮明對比美。「榕樹」、「草」、「蜻蜓」這三個意象有機地構成了一幅生機盎然的自然風光圖畫，而這幅圖畫的基調，就是以大片的富於生命象徵的綠與一丁點熱情似火的紅構成色彩對比，給人以形式美和內容美的雙重審美感受。

第 2、3、4 句雖然也是線形排列，但其中留有空白，空白猶如樂譜中的休止符，造成了視覺停頓與心理停頓，因而其線形的平直特徵受到侷限，不大可能無限擴展，想像空間也相對變小。從符號排列的形式著眼，第 2 句以 6 字對 3 字，第 3 句以 3 字對 6 字，造成了長與短、短與長的不對稱格局，但由於字符數目成倍增減，語句被劃分成具有幾何關係的兩個形式單位，展現出一種符號分組的齊整美。第 4 句由於兩個空白把 9 個字符平分為 3 組，改變了單純平直的線形模式，造成了 3 個字符系列平等共存，相互聯繫相互制約的格局，不僅形式整齊，而且顯示了字符分組的均衡美。由於字符排列形式不同，意象組合層次不同，語義信息也就不一樣。第 2 句呈現的基本意象是「榕樹下」，由此而疊加「青青草」和「紅蜻蜓」；第 3 句是在「榕樹下」和「青青草」兩個意象基礎上呈現「紅蜻蜓」；第 4 句則 3 個意象於同一層次依次映現。這樣，語義信息也就隨意象疊加的層次不同而發生變化。第 5 句呈 E 字豎直形式，上部緊湊，下部疏朗，由每組兩個字符構成的三組短橫線相互平行，具有形式上的齊整美。由於左邊 6 個字符連成的豎線缺乏與之相對稱的線條呼應，這種幾何形式的殘缺美在視覺感受上極易引起期盼的懸念。連成橫線的字符與縱向相鄰的單字符的意象組合也造成懸念，如「下」字補充「榕樹」，同時也引起「青青」；「青青」承接「下」，同時繫聯「草」。第 6 句的 9 個字符分 3 組各自成階梯形，每個階梯的字符都處於由北向南的豎直線與由西北向東南的斜線的交匯點，縱向 3 條線平行，斜向也是 3 條線平行，宏觀上是一個整齊的平行四邊形，整個四邊形都靠右下角的一個點支撐，因而造成視覺的動感和自上而下的層遞感，以靜態的幾何圖形表現的卻是一種充滿活力的運動美。

可見，同樣的符號由於表現形式不同，必然產生審美感受的差別，進而導致信息的重組或功能的變異。一切文學文本都有語詞、語段、篇章這三大形式層次，而這些層次都是由符號具體構成的，探究語詞層次上符號構成的審美特徵是識讀網絡文學文本的第一步。這不僅因為文學文本的識讀必須從形式走向內容，而且也必須從語詞走向語段和篇章。很明顯，無論形式審美還是內容審美，語詞都是最基本的出發點。

第一節　語詞形式審美

語詞包括詞和短語，而語詞形式則指語詞的符號形式和語詞符號在電子文本中的排列形式。一個單獨的符號具有它自身的形式美，單個符號在文本中與其他符號的搭配銜接位置不同，又構成了不同個性特徵的形式美。電子文本符號相互間構成的形式特徵是引發審美情趣的直接導因。

由於單個符號在網絡上的體式（如楷體、宋體、黑體等等）變化非常有限，符號相互之間位置變化構成的形式特徵就成為關注的重點。漢字符號相互之間的位置設定不是純形式主義的，也不是唯美的，它是為追求內容與形式的高度融合而靈活應變的。為了盡可能地接近理想的境界，語詞符號在搭配銜接時常借助一些技巧來構成形式美，傳統文本在這方面已經樹立了經典範例。請看《詩·周南·樛木》：

南有樛木，葛藟纍之。樂只君子，福履綏之。
南有樛木，葛藟荒之。樂只君子，福履將之。

南有樛木，葛藟縈之。樂只君子，福履成之。

由 4 個短語構成詩歌的一章，只要在固定位置上改換兩個字符，就成了新的詩章。全詩 3 章，只有 6 個符號不同，其餘符號全部重複出現。漢字符號從右向左自上而下排列為豎直的長方形（與現代文本自左至右的排列方式不同），顯示了語詞形式高度諧調的方正美、均衡美、對稱美、和諧美。無論傳統文本還是網絡文本，構成形式美最常見而且變化最多的排列方式莫過於符號的重複出現。

一、重複出現的形式美

形式美與內容美互為表裏。不僅在語詞層次、語段層次，而且在篇章層次上把內容與形式的融合發揮到極致的例子，在《詩經》中還有不少。僅此而論，網絡文學文本自然難以望其項背，不過，網絡文學文本也並非毫無可以圈點之處。下面是俞白眉網絡小說《尋常男女》裏的一段文字：

常山此時的靈感洶湧而至，倒真可以寫詩了，望著一輪明月不假思索沉聲道：「月亮！莫非生了痔瘡？——從不肯老老實實，蹲坐在天上！」這樣妙詩唾手可得信口而成，不禁歡喜道：「您覺著我這首詩如何？是不是有點兒日本俳體詩的意思？唯其簡約剔透，方見精神。是不是覺著特別富有東方美感特別古典特別哲學特別思辯？」盧曉童笑道：「沒有。

就覺著特別噁心特別影響人食欲。」❶

俞白眉大概沒有也不必摹仿《樛木》詩行的形式特徵，但這段文字中重複出現的3個語詞符號對網絡小說文本的形式美顯然不能說無關緊要。首先，重現的兩個短語「是不是」把常山的問話切分為三條線段，第二段27個字符，第三段26個字符，第二、三兩段線形符號的幾何長度基本相等，這就構成了符號序列的均衡美；其次，重現4次的「特別」把第三段線形符號進一步切分為短——長——短——短——短5條線段，其中由8個字符組成的最長線段的幾何長度，恰好是由4個字符組成的最短線段的兩倍，這無疑增強了符號的齊整和均衡；再次，盧曉童的答話以「覺著」呼應常山問話裏的「覺著」，這就把不同的符號序列用相同的語詞符號聯繫起來，由此引出的兩個「特別」，不但使內容截然相反的問與答兩大線形符號序列具有形式上的和諧美，而且為吸引讀者接受文本的語氣、節奏、語義等信息營造了藝術氛圍。從語詞形式的美學效果著眼，盧曉童的答話改寫為「特別令人噁心特別影響食欲」或「特別噁心特別影響人的食欲」似乎與整段文字的形式特徵更切合。

判別味同嚼蠟的重複與具有審美價值的重複不僅取決於符號本身的形式特徵，而且更重要的是取決於文本的形式環境和內容環境，任何文本的符號形式是否具有審美價值最終取決於它是否適合特定文本環境的藝術要求，符號的排列形式是否與文本的美學追求

---

❶ 俞白眉《尋常男女》，載五朝臣子、李尋歡主編《活得像個人樣》，時代文藝出版社2000年1月版第236頁。

渾然一體。離開了文本特定環境的符號形式即使具備美的特徵，它也不過是普通意義上的美，而不是文學文本特有的藝術美。因此，語詞、語段、篇章的形式審美，都不能游離於文本的特定環境。

重複是網絡文學文本最常採用的也是變化最豐富的符號排列手段，符號重複出現所構成的不同形式特徵，具有不同的審美功能。探討語詞符號重複的形式特徵及其審美功能是網絡文學文本識讀與賞析的第一步。

㈠ 連鎖重複的形式美

網絡文學文本中最常見的語詞符號連鎖重複，可以用南南和北北在《青澀季節》第 12 章開頭的這段文字為代表：

> 後來沒錢了，沒錢修車，沒錢加油，也沒錢吃飯，更沒錢住店。陳星說要把車賣掉，我說這車是偷來的，他說沒關係，這是輛破車，不能再破的車，沒有誰會為這樣的車報案，報了案也不會有人管。❷

第一個語句裏的「沒錢」，由左向右依次間隔 2、3、4、4 個符號，表現了在同一水平線上規律性延展的齊整美。但第二個語句裏重複出現的語詞符號在分佈上就不那麼單純了，「說」與「這」的 3 次重複，「車」的 5 次重複，「是」、「沒」、「破」、「會」、「報」、「案」等語詞的 2 次重複，前後呼應，相互穿

---

❷ 南南和北北《青澀季節》，載陳思和主編《2001 年中國最佳網絡寫作》，春風文藝出版社 2002 年 1 月版第 79 頁。

插，它們從視覺上打破了線形序列的整體連續，以複現的語詞符號將文本進行重新切分，展示了符號形式的交錯美。

重複出現的語詞，其空間位置雖有間隔，但文本的內容環境或形式環境賦予語詞之間以邏輯或意念上的聯繫，這就使形式上各自獨立的語詞符號由於意念或邏輯的暗示而具有共同的功能指向，彼此獨立的語詞符號就有可能利用文本環境的形式條件構成形式美，反過來增強文本的美學內涵。盧江良的《在街上奔走喊冤》有這麼一段文字：

> 照那位撿破爛的話說，樂天這樣做必定會引起路人的注目，而路人一旦注目，就引起了社會反響，一引起社會反響，各家媒體便會傾巢出動大肆報導……❸

這段文字中「引起」、「路人」、「注目」、「社會反響」等4個語詞借助文本的其他符號（包括標點）構成了3個幾何長度大致相等的線形序列，使文本的特定區域表現出均衡美的形式特徵，這就容易引起視覺敏感而成為識讀的重點。具有均衡美的線形序列依靠複現的語詞符號作為形式繫聯的紐帶，第一個「路人」跨越「注目」與第二個「路人」呼應，第一個「注目」則跨越第二個「路人」與第二個「注目」呼應；第二個「引起」跨越第一個「社會反響」與第三個「引起」相映帶，第一個「社會反響」跨越第三個「引起」與第二個「社會反響」相映帶，這就穿插交織成相互連鎖的鏈條，

---

❸ 盧江良《在街上奔走喊冤》，載《2001年中國最佳網絡寫作》第19頁。

構成了語詞符號有規律性出現的交錯美。

網絡文學文本語詞符號連鎖重複的交錯美有不同的表現形式和美學意蘊，這形式和意蘊與文本的美學追求和文本環境的需要分不開。《青澀季節》裏說：

> 我想成為白雲。她說。我想成為白雲。她唱。

第一與第三個短語的符號形式完全相同，第二與第四個短語只有一個漢字符號相異，這是一個具有交錯美的典型連鎖重複形式；由於構成兩組短語的符號數目相等，線形序列被切分為 4 條線段，兩長兩短相互間隔，顯示了整齊均衡的鑲嵌美。如此美妙的語詞形式試圖表現怎樣的美學意蘊呢？難道它只是為形式而形式嗎？語詞形式的整齊均衡與語詞意義的自由浪漫成反比，但這只是把它們從文本中孤立出來的感覺。如果留心一下文本環境，感覺可能會有所不同。看看下面有關「她」的文字：

> 祖兒長髮飄飄，白嫩水靈，乖巧可愛，是小鳥依人的那種。只是大大的眼睛裏常流落著憂鬱，氣質有些頹然……
> 祖兒常來過夜，穿著白色睡衣，赤著腳從一個窗戶走到另一個窗戶，偶爾低頭竊笑，偶爾無限傷感……
> 除了秦君和我，祖兒沒有朋友，她害怕上學，學校裏到處都有冷眼和小聲的嘲諷攻擊她，所有人都對她避而遠之……
> 「有座山在壓著我，我快被壓死了。」
> 我覺得自己很孤單，很淒涼，即使在夏天，也會覺得冷……

祖兒說這番話的語調是淡淡的，說完轉身離去。緩緩的腳步絆著沉沉的心事，白色長裙的背影孤落淒美，誰都會憐愛。想把一切做個結束，結束我自己，我自己不當人類也可以，我想成為白雲。❹

文本不是把從小失去父母之愛的祖兒的孤冷人生撕給人看，而是通過對女主人公的外貌描寫與心靈獨白，創造了一種豔美淒冷的藝術氛圍。在這樣的文本環境中，連鎖重複的語詞形式表現的不是什麼自由浪漫，而是以輕柔幽美的輓歌唱出了如磐重壓下女主人公對孤冷人生的絕望，文本作者追求的是語詞形式上的整齊交錯與悲劇主題水乳交融所產生的豔美淒冷的意境。

連鎖重複的交錯美還有另外的表現形式，例如：

福根舉起槍，手軟軟抖著，槍口向地——向狼——向天——向狼——向地——向狼——向天——砰的一聲，子彈的回聲擴散開去，在山林間久久回盪……❺

用破折號連接的 7 個雙音節短語都有一個相同的漢字符號，另有「地」、「狼」、「天」3 個不同符號等距離穿插重現，符號穿插的交錯美與破折號線段同漢字方塊的對比美，在線形序列宏觀上展

❹ 同❷，第 60－61 頁、第 66 頁、第 74 頁、第 82 頁。

❺ 裸孩《畜生》，載榕樹下圖書工作室選編《2001 中國年度最佳網絡文學》，灕江出版社 2002 年 1 月版第 82－83 頁。

現出統一的和諧美。

㈡ 易位重複的形式美

只是調動符號出現的位置而構成短語的漢字符號完全相同，例如：

A.經濟的話劇和話劇的經濟❻

B.福根望著那狼，那狼望著福根❼

C.感情遊戲，遊戲感情❽

A 例以「和」為對稱點，「經濟」、「的」、「話劇」分別左右重複對稱；B、C 兩例則以逗號為對稱點，各個語詞分別左右重複對稱。A 例的「經濟」首尾顧盼，除了對稱美還具有回環美；B、C 兩例除了對稱、回環之外，整個線形序列被逗號切分為幾何長度相等的兩部分，還具有整齊的均衡美。

㈢ 排比重複的形式美

李伯牙的《網友》有如下一段文字：

> 我們看著太陽，就想著我的老婆在我和子期面前有過的種種不良表現，把她想成一個四不像：不像又像林黛玉，不像又像薛寶釵，不像又像王熙鳳，不像又像好老婆。❾

---

❻ 手足無措《經濟的話劇和話劇的經濟》，載榕樹下圖書工作室選編《2000 中國年度最佳網絡文學》，灕江出版社 2001 年 1 月版第 309 頁。

❼ 同❺。

❽ 鳳凰兒《遊戲之外，規則之內》，載《2000 中國年度最佳網絡文學》第 196 頁。

❾ 李伯牙《網友》，載《2001 年中國最佳網絡寫作》第 3 頁。

「不像又像」以等距離重複出現於 4 個符號數目相等的線形序列中，所處的語句位置相互映照，語詞既具有整齊的均衡美，又具有橫向跳躍的運動美。由於重複的語詞符號分屬 4 個幾何長度相等的線形序列，形式非常整齊均衡，加之「不像又像」4 個漢字符號與後續的 3 個漢字符號相互有規律地穿插，使整個排比句的符號形式既富於鑲嵌美，又具有和諧美。

冒號後面的 4 個線形序列中，相異的符號數目都一樣是 3，而且都指稱女人，這就從形式和語義兩方面融會了和諧之美。類似的例子如：

> 你來過了，你活過了，你愛過了，你傷過了，這就很好，很美。[10]

前 4 個線形序列中不同的符號在語義上都表示人的行為，後兩個線形序列中的「好」與「美」在語義上也屬同類，它們在形式上的整齊分組與語義內容的分類相互對應，表現了整齊而又有變化的和諧美。

如果並列的幾個語句成份中各有不同的語詞符號重複，也會構成這幾個線形序列的整齊美與均衡美：

> 是陳星真正教會我進攻，把下棋看成一種戰爭，一種智慧與

---

[10] 那麼藍《我的女友、別人的妻子以及普林斯頓》，載《2000 中國年度最佳網絡文學》第 96 頁。

> 智慧、計謀與計謀、人格與人格的戰爭的。⑪

而且，「智慧」、「計謀」、「人格」在不同的線形序列中，都以「與」為參照點重複而構成對稱美和交錯美。「一種」和「戰爭」雖然也穿插重複，但由於兩個「戰爭」相距較遠而有顧盼之感。

㈣ 對比重複的形式美

排比重複是根據語詞所在的語句形式來確定的，對比重複則不只是符號形式的不同，而且與語詞意義的對立也不無關係。例如：

> 是也是一個無窮，非也是一個無窮，所以說介入是非，不如明白無是無非。⑫

這段文字的前兩個短語除一個符號不同外，其餘符號完全重複。符號幾乎一樣的兩個線形序列不僅幾何長度相等，而且由於這兩個線形序列的第一個符號不同，語義相反，因而表現出短語形式的整齊美與同中有異的對比美。另外，「是」與「非」這兩個符號分別穿插重複，每個符號跨越的幾何長度都不相等，顯示出比較自由的交錯美。當這兩個符號並列的時候，由於字形不同而產生對比美；當這兩個符號與「無」相互間隔的時候，既顯示出「是」與「非」符號形式的對比，又複現了兩個「無」符號形式的統一，而且還表現

---

⑪ 同❷，第 61 頁。

⑫ 聊聊《劉淑芬傳之少年英雄》，載《2000 中國年度最佳網絡文學》第 147 頁。

了它們相間產生的交錯美。

對比重複與排比重複完全可以融為一體。《第一次的親密接觸》裏的這段文字就是如此：

> 我身材不高也不矮，長相不醜也不帥，個性不好也不壞。⓭

這個排比句由3個分句組成，每個分句就是一個符號序列，整個符號序列形式齊整，明顯具有均衡美。前後兩個符號序列中的「也」，以居中的「也」為參照，各間隔7個符號等距離複現，具有對稱美。每個序列中的「不高」與「不矮」、「不醜」與「不帥」、「不好」與「不壞」，符號之間不但距離相等，意義對立，而且符號位置相互對應，符號形式同中有異，既在特定位置上顯現了對比美，又保持了整體上的和諧美。

除最常見的重複出現而外，語詞按符號數目的多少，還採取類比、對比、間隔、層遞等排列方式構成形式美。

二、類比出現的形式美

先看下面三段文字：

> 1.昨天晚上後來的我，就像面對一組計算大氣湍流的方程，千頭萬緒，亂七八糟，無所適從，無計可施，無路可投。⓮

⓭ 蔡智恒《第一次的親密接觸》，知識出版社1999年11月版第44頁。

⓮ 流星雨《讓歲月白髮蒼蒼去吧》，載《活得像個人樣》第7頁。

2. 我說她烏髮蟬鬢，雲髻霧鬟，蛾眉青黛，明眸流波，朱唇皓齒，玉指素臂，風姿綽約，氣質優雅。⓯

3. 一忌大寒，二忌大暑，三忌大風，四忌大雨，五忌迅雷，六忌大雪。蓋大寒則澀軫，大暑則塌皮，大風則飛撥，大雨則漚筒，迅雷則導電，大雪則傷身。⓰

這三段文字的共同點是：其中至少有一群符號數目相等的線形序列，其內容有共同的語義指向。第 1 段文字裏有 5 個字符數目相等的線形序列，它們從不同角度展示「我」的思想狀況，後 3 個序列由於有「無」和「可」在對應的位置上複現而構成鑲嵌美，但 5 個序列都是由 4 個字符構成大小一致的長方形，更多地表現了齊整美。第 2 段文字除第 1 個短語外，其餘的所有線形序列都由 4 個字符構成，從頭髮、眉毛、眼睛、嘴唇、牙齒、手指、手臂、姿態、氣度等不同方面對「她」加以動態描繪和立體塑造，具有相當動人的古典美，線形序列的齊整美與和諧美更增強了文字的魅力。第 3 段文字以語氣詞「蓋」為形式標誌分為兩大系列。第 1 個系列有 6 個幾何長度相等的線形序列，第 2 個系列除去為首的語氣詞，也包含 6 個幾何長度相等的線形序列，因而語詞形式從宏觀上顯示出齊整美與和諧美。很明顯，以「蓋」為參照點，整段文字的兩大系列

⓯ 邢育森《活得像個人樣》，載《活得像個人樣》第 36－37 頁。

⓰ 反客生《鼓曲版《俞伯牙摔琴謝知音》》，載《2001 年中國最佳網絡寫作》第 253 頁。

基本對稱。由於 4 字符短語在前，5 字符短語在後，這就構成了由短而長、從高到低的階梯美。前一系列的每個序列對應位置上複現「忌」，後一系列的每個序列對應位置上複現「則」，12 個線形序列分為兩組有規律地複現「大寒」、「大暑」、「大風」、「大雨」、「迅雷」、「大雪」，整段文字明顯具有交錯複現構成的鑲嵌美和不同系列的同形符號對應出現構成的顧盼美。

儘管類比出現的語詞形式在文本中的具體情況不同，但齊整美與和諧美是其形式美的主要表徵。

三、對比出現的形式美

對比有兩種常見的結構表現，一種是突出線形序列幾何長度的懸殊，例如：

> 更何況美麗的技巧與法則過去、現在與將來不勝枚舉：隆胸術、減肥術、靚眼術、修眉術、凸鼻術、小嘴術、豐乳術、肥臀術、妖媚術、發騷術、發嗲術，一打的絕招令人目不暇接。⓱

這段文字首尾都是由多個語詞組合起來的較長的線形序列，中部是 11 個由 3 個字符所構成的較短的線形序列，由於 11 個語詞的幾何長度都相等，「術」又每隔一定距離在相對應的位置出現，自然構

⓱ 周國文《城市美女》，載榕樹下全球中文原創作品網編《愛是絕版》，上海文化出版社 2002 年 4 月版第 201 頁。

成語詞形式的和諧美與齊整美，成為文本審美的重點。11 個長度相等的語詞連成一氣，猶如廣闊的地平線，首尾兩個長序列猶如地平線上的奇峰凸起，與地平線拉開了空間距離，因而形式上的懸殊對比造成了落差美。

另一種是強調語詞在文本中結構形式的相互對應，例如：

> 清風送過，不是旗動，是心動；細雨淋過，不是樹綠，是愛溢。⓲

> 不想問仕，或許仕途曾鋪至庭前；無意尋花，不定花兒就守在院後。⓳

這兩段文字都由符號數目相等的兩個線形系列構成，以分號為參照點，前後系列的語詞形式，語法結構都相互對應，構成工整的對稱美。第一段文字裏「不是」與「是」前後呼應，相互穿插，還構成鑲嵌美。

四、間隔出現的形式美

間隔出現有兩種情況。第一種，同一語詞形式間隔出現實質上就是前文討論過的重複，如老冷《阿咪，或者另一個 ID》裏的這

⓲ 思漫《失火的情人節》，載風吹佩蘭等著《一生最美一文·散文卷》，中國工人出版社 2002 年 1 月版第 89 頁。

⓳ 邊塞《社交寵兒》，載《愛是絕版》第 212 頁。

句話：

> 阿咪看我一眼，說：「還不是上班、下班，上床、下床，上網、下網，」淡淡地一笑，「這叫三上三下。」[20]

這句話裏的「上」、「下」、「班」、「床」、「網」、「三」等語詞，以相等的距離間隔出現，明顯富於均衡美與鑲嵌美。以逗號劃分成的 3 個線形序列內部還構成對比美。

第二種，不同的語詞形式如果具有同等數目的字符，並且按一定的規則組織起來間隔排列，同樣可以構成形式美。石頭的《新編《蔣幹過江請鳳雛》》有如下一段文字：

> 常言道，我無外財不富，您沒夜料不肥。再說呀，望曹營，路幾程，多少長亭共短亭，山又高，水又深，無飯寸步也難行。[21]

這段文字的語詞分別組織為 3 個字符、6 個字符、7 個字符三種線形序列。第一個語句的後兩個序列因字符數目相同而構成對稱美，前一序列為後面序列的幾何長度之一半，前後構成幾何梯度，具有高低相映的層次美。第二個語句裏 3 字符序列與 7 字符序列相互穿

---

[20] 老冷《阿咪，或者另一個 ID》，載《2000 中國年度最佳網絡文學》第 220 頁。

[21] 石頭《新編《蔣幹過江請鳳雛》》，載《2001 年中國最佳網絡寫作》第 244 頁。

插構成鑲嵌美，由於兩種序列的字符數目懸殊，也構成落差美。

字符數目相等的語詞還可與標點符號組織在一起構成形式美，季啞的《塵埃之上》就有這樣的間隔形式：

> 這四十四張牌中關於環境與人物的四十張，是這樣的：天堂——虛幻者；皇宮——統治者；神殿——天啟者；民宅——生養者；工廠——製造者；農場——勞作者；學校——求學者；酒店——浪盪者；街道——流浪者；醫院——有病者；城堡——吸血者；墳場——死去者；廁所——方便者；戰場——征服者；大海——航行者；妓院——沉淪者；山洞——隱居者；圖書館——智慧者；交易所——圖利者；最後一張關於環境的牌是瞭望塔，相對應的是短視者。㉒

破折號與漢字方塊橋樑式的搭配構成每個線形序列內部的對比美，最後兩組搭配由於破折號兩端的字符數目相等而具有對稱美。兩個字符組與 3 個字符組有規律地間隔在宏觀上又構成鑲嵌美；每個線形序列的符號搭配格局一致，且符號數目大致相等則顯示了結構形式的齊整美。不過，這種結構形式儘管出於內容表達的需要而大膽運用，但幾何長度超過了視覺敏感可能持續的限度（視覺心理實驗表明，對連續出現超過 8 次的同一符號序列，視覺敏感減弱），因而容易引起視覺疲勞，難免給語詞形式審美帶來負面影響。

㉒ 季啞《塵埃之上》，載蔡駿等著《飛翔》，杭州出版社 2002 年 4 月版第 284 頁。

五、層遞出現的形式美

所謂層遞，是指表示語詞的字符在文本中組成的線形序列的幾何長度遞減或者遞增。

藍雪藍冰的《心的曲線》有段文字：

> 與她在一起我總覺得自己很輕鬆，有點像喝著一杯「杭白菊」茶，淡淡的菊花味飄著香，香撲鼻裏，流向心裏，很輕鬆，很愜意。㉓

這段文字隨著語詞符號組成的線形序列幾何長度的遞減，語義重心逐步上揚，語詞形式構成的階梯美造成了輕鬆愉悅的審美氛圍，使語義表達的層次更清晰，文本塑造的形象更鮮明。7 個線形序列由長到短依次構成 5 級階梯，後 4 個線形序列分為兩級階梯，每級階梯內部的線形序列的齊整均衡更增添了文本的感染力。

老夫子的《碎心魚》篇末的一句是：

> 只是，他的愛，來得太晚了，而此後餘生，他都將是一條瀕死的魚。㉔

這段文字由 5 個線形序列構成 4 級階梯，其中一級階梯由幾何長度

㉓ 藍雪藍冰《心的曲線》，載榕樹下全球中文原創作品網編《一個人不如兩個人》，上海文化出版社 2002 年 4 月版第 305 頁。

㉔ 老夫子《碎心魚》，載《一個人不如兩個人》第 25 頁。

相等的兩個序列構成均衡美，隨著線形序列逐級由短變長而語義重心逐步壓抑，形式上的階梯美恰到好處地表現了人物心靈的沉淪。

還有兩種情況共現的文字：

> 然而這社交寵兒也未必人人都能當得。沒有洞悉世事的眼光，缺乏天寬地闊的心境，你裝也裝不像。能高、能低、能伸、能屈；敢說、敢當，沒幾世修煉，你充不了這門佛。㉕

這段文字的線形序列先是由長變短，而後由短變長，兩個字符組成的短序列與 16 個字符組成的長序列對比鮮明，構成落差美。其中長串的短序列簡潔、明朗、整齊、均衡，在形式上連成一氣，在前後成梯級增減的長序列之中，宛如層層山巒環抱的原野，表現了曠達之美。

第二節　語段形式審美

語詞的形式美要在一定的語段中才能充分表現，而語段形式美的表現比語詞相對自由，它可以與其他鄰近的語段相比較而顯示其獨具的特徵；也可以與所表達的內容融為一體，自成格局；還可以數個語段相互整合，從宏觀到微觀表現語段不同層次的形式美。在網絡文學文本中，數個語段相互整合的結構方式最為常見，其形式變化也最多，這應當是探討的重點。

㉕　同⑲。

語段形式美常見的有連鎖、對稱、仿照、類比、間隔、層遞等6種結構類型。

一、連鎖構成的形式美

所謂連鎖構成的形式美，就是以相同的語詞符號作為形式標記，把幾何長度不同的若干語段組合在一起，構成具有起伏變化的參差美。連鎖組合有緊密和鬆散兩種情況：緊密表現在各個語段出現的相同語詞符號空間距離短；鬆散表現在相同的語詞符號不一定每個語段都出現，每個語段也不一定僅限於以一個語詞符號作為形式標記，但空間距離相對較大的相同語詞符號之間應有較強的內在語義聯繫。

小旦《白玫瑰的故事》裏的這幾段文字以相同的語詞符號緊密連鎖：

> 他從我的火車上消失了，不過卻留下愛聽笑話的白玫瑰。
> 以笑話為養份，笑容為露水培植出來的白玫瑰。
> 更狠的是，他留下了白玫瑰眼角的笑紋。
> 對！我就是那個眼角有笑紋又愛聽笑話的白玫瑰。
> 常常笑得花枝亂顫的白玫瑰。[26]

就每段文字看，幾何長度不同，但每段文字裏都有作為聯繫紐帶的

---

[26] 小旦《白玫瑰的故事》，載陳宏雅等著《幸福銀行》，中國戲劇出版社 2001年12月版第42頁。

關鍵符號「笑」和「白玫瑰」。第1段與第2段還以「笑話」相互映照，增加了形式上的親和力；第4段憑著「笑話」和「笑紋」分別與第2段和第3段在形式特徵上相互呼應。這就非常醒目地從形式上凸現了白玫瑰的個性特徵，從而塑造了一個天真爛漫、清純樂觀的少女形象。從第1至第3段從上到下文字的幾何長度逐級變短，語義隨形式的變化逐步演繹，一步步深化了「他」對「白玫瑰」個性形成的重要作用，語段形式的階梯美與人物個性的純情美相得益彰，表現了樂觀浪漫的審美取向。第4和第5段幾何長度由長而短呈階梯形變化，在形式上與前3個語段取得諧調，在語義上則進一步展示「白玫瑰」坦率爽朗的個性特徵。從微觀看，前3段與後2段形式上都具有階梯美；從宏觀看，5個語段或長或短，每段之中都有相同的語詞符號，其中4個語段的末尾符號完全一樣，蘊和諧於參差美之中。

鬆散型的連鎖組合可以裸孩《畜生》中的如下語段為例：

至性冷笑依然，慢慢豎起右手食指。

「禪師，此是何意？」

「一派胡言！」

軍官臉色驟變：「那麼，我們天皇陛下派來的不遠萬里不辭勞苦到支那進行聖戰的大和勇士，大師有何嘉勉？」

至性怒形於色，有力地舉起右手食指。

「又是何解？」

「一群禽獸！」

軍官霍地立起，抽出指揮刀：「老禿驢，你可知一指禪師的弟子依樣學樣，後果怎樣？」

至性哈哈大笑：「能當面教訓禽獸，一指又何足惜！」

軍官的指揮刀在空中準確地一揮，至性的右手食指便掉在地上，斷指處鮮血直湧。

福根大喊一聲，急趨上前，卻被那士兵用槍托捅倒在地。

軍官握著滴血的刀，大聲喝問：「支那軍隊草包大大的，不戰而退，你有何話說？」

至性面不變色，豎起右手中指，自己回答：「一心抗戰，一定勝利！」

中指也掉在地上。

「支那大半國地盡喪，亡國為期幾何？」

至性輕蔑地瞅了他一眼，堅定地豎起被鮮血染紅的右手無名指，一字一頓：「一統河山，一定恢復！」[27]

以上語段主要依靠「一」這個符號作為相互繫聯的形式標誌，而「一」在不同的語段中又與其他不同的符號結合起來，為語段之間的整體諧調提供形式上的視覺美感。例如，第 3 語段的「一派胡言」、第 7 語段的「一群禽獸」、第 13 語段的「一心抗戰」、「一定勝利」、第 16 語段的「一字一頓」、「一統河山」、「一定恢復」，這些由「一」構成的 4 字短語形式整齊，前後貫通，相互映照，賦予空間距離較大而且幾何長度不同的語段以相同的和諧美。這 16 個語段可以視為 4 個部分的組合。第 1 部分為第 1、2、

[27] 同[5]，第 90－91 頁。

3 語段，從上到下，由長變短，如階梯遞減；第 2 部分也呈遞減的階梯形，但最後兩個語段以 4 字短語並列，具有齊整美；第 3 部分包括第 8 至第 13 語段，以長短語段的相互間插構成交錯美；第 4 部分從上到下，由短變長，如階梯遞增，與第 1、2 兩部分在形式上恰成相反對照。第 1、2、3 語段都有「至性」、「右手食指」作為形式標誌相互繫聯，而這兩個作為語段之間形式聯繫的語詞在文本中生成的意象，正是文本所表現的重點內容，形式與內容的一致使「至性」這一人物形象和個性特徵具有典型性而感人至深，具有超越形式的悲壯美。「至性」、「中指」作為聯繫第 3、4 部分的形式標誌，使文本塑造的典型環境和典型人物的性格特徵更為豐富完美。

連鎖不限於用一個語詞符號作為形式標記，它還可以依靠邏輯或意念的暗示或導引，借助於若干語詞的重複形式把不同的語段相互連成一氣。如：

「風箏。」

「什麼？」田六聽不清楚。

「風……箏……」張三忍不住地大聲喊起來。

「風箏有什麼好看的？」

「我沒覺得它好看，我只是等著它斷線。」

「斷線？斷線了風箏就可以自由飛走了，是吧？」田六略帶嘲諷的口氣，說。㉘

㉘　同㉒，第 328 頁。

張三與田六的前兩次對話三次提到「風箏」，其中一次語詞符號借助省略號擴展了線形長度，三次重複的「風箏」表現為自上而下、自左至右的短——長——短三條平行線段，在平行的和諧美中自然顯現了長短參差的錯落美。「風箏」的三次重複靠對話的語義邏輯貫串起來，第三個「風箏」還與「好看」共處於一個線形序列，相互間也靠語義邏輯產生聯繫。上下相鄰的兩個線形序列裏，兩個「好看」相互映照所構成的重疊美和方正美，從視覺上很容易將兩個相同的符號當作一個整體，符號所處的位置以及上下語義的連貫，造成上下兩個「好看」意念上的聯繫。「好看」與「斷線」之所以發生關係，一方面它們都處於同一水平線上兩個幾何長度基本相當的線形序列的末端，在形式上相互對稱，更重要的是前者為否定的物件，後者為期待的目標，相互存在語義排斥關係。為了強化語義指向的目標，符號採用疊加的排列方式，接連重複兩個「斷線」，並從「斷線」引導出與「風箏」關聯的結果。這樣，出現在不同水平線上不同位置的語詞符號連鎖重複，把 6 個語段聯成一個整體。這段文本中「風箏」分佈在 4 個線形序列中，具有跳躍性的運動美；「好看」分別出現於兩個線形序列，具有方正美和豎向的重疊美；「斷線」也分別出現於兩個線形序列，前瞻後顧，具有錯落美與橫向的重疊美。用 3 個不同語詞的 9 個符號作為形式標記和聯繫的紐帶，文本每 3 個線形序列各構成兩個由上而下，由短而長的幾何圖形，既具有階梯美，又具有錯落美，與張三和田六對話內容的起伏跌宕相配合。

二、對稱構成的形式美

對稱本身就是一種自然之美，植物的根系、枝葉，人和動物的四肢，無不滲透對稱美的信息。原始社會時期的陶器上就有了以自然物象為標本創造的富於對稱美的圖案，商周青銅器從形制到紋樣，把對稱美表現得更為精美絕倫。文本中語詞、語句、語段的對稱形式在《詩經》裏已經得到廣泛運用，網絡文學文本在語段層次上的對稱形式，是對傳統文學審美取向的繼承和發揚。所謂發揚，主要是指網絡文本把詩歌的形式美特徵推廣到了小說和散文的語段結構上。

對稱也有兩種情況：一種是完全整齊的對稱，構成語段的符號數目相等；另一種是較為寬鬆的對稱，只是宏觀上能顯示語段形式的對稱美，並不計較各語段字符是否完全相等。

這裏有兩組文字：

1.廣告信，廣告信，還是廣告信。
　轉寄信，轉寄信，還是轉寄信。㉙

2.上次跟她聊天，忘了吃中飯，可謂忘食。
　這次跟她聊天，犧牲了睡眠，可謂廢寢。㉚

第 1 組文字由符號數目相等的兩個語段構成，組成語段的每個符號

㉙　同㉖，第 40 頁。
㉚　同⑬，第 48 頁。

都相互對稱。其中，「廣告」與「信」，「轉寄」與「信」，既分別重複又相互間插，具有和諧美與交錯美。「還是」與「信」分別上下對應重疊，從形式上突出小說中的女主人公「白玫瑰」對「信」的重視和期盼。可惜電子郵箱裏的來信都不是男主人公「瓶子」的，一連三個重複對稱的「廣告信」和「轉寄信」，從形式上表現了垃圾信件之多，反襯出女主人公內心失望之深。這是以相等字符、相同結構的兩個語段構成對稱美揭示人物微妙心理的例子。第 2 組的兩個語段也由 3 個幾何長度分別對應相等的線形序列構成，第 1 序列除第一字外的其他字符都上下對應重疊，第 3 序列的前兩個字符也上下對應重疊，從形式上凸出內容所包含的重點。這兩個語段的齊整美、對稱美，與內容表現的男主人公「痞子蔡」同女主人公「輕舞飛揚」的心靈默契珠聯璧合。

寬鬆的語段對稱有時成為篇章的重要結構形式，如阿人《寵愛》中的 4 個語段就是該篇文本結構的重點所在：

> 我依然記得從前。
>
> 我依然記得，你為了照顧自幼多病的我，曾經多次背著我半夜裏急匆匆地直奔醫院；我依然記得，你為了讓我完成家庭作業，又哄又逗地陪我直到深夜；我記得，當我第一次被接回自己家時，你和我都哭了，就像是生離死別，就像是永遠不能再相見。我依然記得，當我把門門一百的試卷遞到你手邊時……
>
> 我也從未忘記。
>
> 我從未忘記，你站在喧鬧的站臺上，把我送去遠方的大學讀

> 書，揮手對我告別，一行眼淚潸然滑下；而當你站在同樣的站臺上把畢業回來的我接下時，你又是熱淚盈眶，老淚縱橫；我從未忘記，當你得知本來前程似錦的我被一場突來的疾病擊倒，再也不能站立時，你心碎腸斷，把眼淚哭盡；我也沒有忘記……[31]

第 1、3 兩個短語段與 2、4 兩個長語段間插構成交錯美，第 1、2 兩個語段與第 3、4 兩個語段相互對應又構成對稱美。語段形式的交錯巧妙地借長語段烘托出短語段的綱領作用，而語段形式的對稱又使排比鋪敘的長語段顯得整齊有序，對比效果鮮明。借助語段的形式特徵，從兩個不同時段多側面地塑造了「奶奶」這一人物形象，「多麼年輕」的奶奶與「老態龍鍾」的奶奶的形象對比更為生動真切，從而寄託了「我」對「奶奶」的真摯情感和深切眷念。

三、仿照構成的形式美

所謂仿照構成的形式美，是指以符號大致相同的不同語段營造出的整體形式的齊整美與和諧美。語段的仿照有兩種情況：第一種情況往往以首先出現的語段為藍本，其他語段則稍作局部調整而成；第二種情況是後出現的幾個語段以先出現的幾個語段為範本，在宏觀上追求彼此形式的整齊和諧。先看看屬於第一種情況的例子：

---

[31] 阿人《寵愛》，載《一生最美一文·散文卷》第 209 頁。

1. 我把這件事跟小護士說了，她哈哈大笑，硬是說打死也不相信；
我又把這件事跟漂亮仇人說，她也哈哈大笑，但沒說打死也不信。㉜

2. 我忍不住，問，大木，為什麼對雨溪這麼好？大木傻呵呵地笑。
我不甘心，又問，大木，你為什麼對雨溪這麼好。大木還是笑。㉝

3. 但他們沒有一個人的笑容，能像你一樣，
緊緊地牽動著我的靈魂；
他們也沒有一個人的眼神，能像你一樣，
輕易地加速著我的心跳。㉞

第 1 組文字裏的第 2 個語段明顯是以第 1 個語段為藍本改造而成的，每個語段由 3 個線形序列構成，幾何長度雖稍有參差而大致整齊，兩個語段中相同的語詞符號占絕對優勢，造成了整體上的和諧美。用和諧整齊的語段表現「我」的兩個女朋友對同一件事的反

㉜ 小非《謀殺續集——老師別鬧》，載小非等著《一生最美一文·另類卷》，中國工人出版社 2001 年 1 月版第 19 頁。

㉝ 無愛之愛《路克要吃花生》，載榕樹下圖書工作室選編《2002 中國年度最佳網絡文學》，灕江出版社 2003 年 1 月版第 156 頁。

㉞ 蔡智恒《圍巾》，載《第一次的親密接觸》第 198 頁。

映，雖然都是「哈哈大笑」但程度卻不同，最末的兩個線形序列巧妙地把兩位年輕女性的性格作了恰如其分的區別，與形式的整齊中稍有出入相映成趣。第 2 組文字兩個語段的符號也大部分相同，線形序列的幾何長度也相等，整體形式的齊整和諧與「大木」這一人物個性的簡單透明恰成映對。構成第 3 組文字的 4 個語段不但行列整齊，而且每個語段的線形序列都相互對應。長、短語段彼此間隔構成交錯美；一長一短兩個語段分別組合、相互映襯又構成對稱美。形式上的美學特徵是否與內容的表達合若符節？這只要看一看文本環境就不難明白。那長短語段彼此相依構成的交錯美，豈不是在無聲地訴說：「雖然我們分隔兩地，但我的心，卻仍繫著你」；「每當臺北下起雨，我就會擔心在台南的你」？以語段的長短交錯影射人生的南北乖離，妙在若有若無，似與不似之間。那兩組語段相互映襯構成的對稱美，是否在暗示「我」的笑容同樣能牽動「你」的靈魂，「我」的眼神，也同樣能加速「你」的心跳呢？要不然，女主人公憑什麼會如此自信：

> 如果現在與你相遇，你認得出我嗎？
> 也許你已無法從外表上認出我，
> 但如果你凝視我的眼睛，傾聽我的心跳，
> 我想你一定能夠很快地認出我來。[35]

「你」「我」心靈相通，眼神與心跳能夠相互作用，也就可見其相

---

[35] 同上，第 200 頁。

知之深。由此可見，語段的形式美為內容的表現開拓了更為廣大的思惟空間。

史萊姆的《如果在冬夜，一隻恐龍》有多個語段的仿照：

> 很快的主角被救出，然後經過一番追趕跑跳碰，最後男女主角在海上飄呀飄，重舞飛揚的哭聲就逼得我不得不制止她。
> 「全電影院的人都在看我們勒，別哭啦！」我實在不想把我跟她來個「我們」，但是為了增加認同感起見……
> 「嗚嗚…呼呼…喝…咕咕咕……」她還是哭個沒完。
> 這種怪聲的產生有兩種可能：㈠恐龍沒有鼻道，無法發出正常聲音；㈡史萊姆的中文輸入法中只有這幾種狀聲詞。
> 兩者必有其一為真，但是為了科學化起見，我決定採用第一種說法。

> 糊裏糊塗間，電影竟然結束了。我從座位站起時，發現全場籠罩在一片愁雲慘霧中，哀嚎聲此起彼落，我的幽默感不禁又發作了，真想大笑他幾聲，但是後來看到全場的人雙雙對對離去，我不禁又大哭起來……
> 「全電影院的人都在看我們勒，別哭啦！」她安慰我。
> 「嗚嗚……呼呼……喝……咕咕咕……」我還是哭個沒完……
> 這種怪聲的產生有兩種可能：㈠史萊姆沒有鼻道，無法發出正常聲音；㈡恐龍的中文輸入法中只有這幾種狀聲詞。

但為了科學化起見，我還是決定採用後者說法。[36]

在眾多的網絡文學文本中，把 10 個語段組合起來構成這種獨特形式的僅此一例。以其開創性而論，意義比上列第 3 例重要得多。因為《圍巾》的這 4 個語段說到底，充其量不過是傳統對偶句的變種，只要把 4 個語段一字排開，就會發現這一點。難怪蔡智恒對《如果在冬夜，一隻恐龍》毫不掩飾地這樣評價：「我並非因為這部小說的後設技巧高明而讚歎，我偏愛的是他文字的趣味。這常令我笑到連豎起中指的力氣也沒有……他的思惟特別，邏輯有趣，隨便唬爛也帶三分道理。」[37]這 10 個語段分別構成兩組富有幽默感的文字，採取一種「科學化」的滑稽邏輯，得出令人忍俊不禁的結論，產生了詼諧的喜劇效果，這與作者駕馭文學語言的技巧直接相關。技巧之一便是仿照。仿照造成了前、後兩組語段排列形式相似，除第 1 和第 6 語段之外，其他各語段的符號也大致相同，宏觀上具有語句形式的齊整美與和諧美。形式的整飭與內容的調侃構成鮮明反差，這好比板著臉一本正經地開玩笑，很容易收到意想不到的表達效果。

四、類比構成的形式美

這是以若干有少量相同字符，幾何長度大致接近的線形序列作為語段，循某一語義線索連類並舉構成的形式美。風吹佩蘭的《打

---

[36] 史萊姆《如果在冬夜，一隻恐龍》，載《幸福銀行》第 164－165 頁。

[37] 同上，第 152 頁。

倒淑女》就有 7 個語段連類並舉：

> 淑女大概不會理直氣壯地不請假和別的男孩子去看動感電影，逛雕塑公園。
>
> 淑女大概不會在深夜裏和千千萬萬的青蛙哥哥蛤蟆弟弟黑著眼圈陪人網聊還被稱做恐龍。
>
> 淑女大概不會衣冠楚楚，臨風而立然後「咦？裙子拉鏈忘拉了！」
>
> 淑女大概不會言而無信，拖拖拉拉，六日交稿，二十三點之前依然不見蹤影。
>
> 淑女大概不會私闖民宅，視非請莫入、私家重地而不顧，貪看風景。
>
> 淑女大概不會忘記男友生日和女友去可以甩開膀子亂扔竹簽子的地方喝散啤吃烤肉。
>
> 淑女大概不會深夜歸來後恍然大悟對男友說哈皮波絲逮作為生日禮物明早做早餐給你吃。㊳

除了第 2 和第 7 個語段符號數目相等而外，其他語段的幾何長度都長短不齊，但由於每個語段開頭的幾個字符完全一樣，從整體上顯示了語段形式的和諧美與線形序列的錯落美。這些開頭字符相同的語段，頗有排比的氣勢，而且從第 1 到第 2 段、第 3 到第 4 段、第 5 到第 7 段，線形序列的幾何長度分別遞增，從形式上配合了逐漸

㊳ 風吹佩蘭《打倒淑女》，載《一生最美一文·另類卷》第 150－151 頁。

強化的語意。

類比不限於運用字符，有時把標點與字符配合起來構成多個線形序列，顯得更為和諧統一：

「……嗯……我在試看看今天天氣冷不冷……」
「……嗯……我在試看看今天天氣熱不熱……」
「……嗯……我在看今天有沒有下雨……」
「……嗯……我在看今天太陽出來了沒……」
「……嗯……我在看日出啦……」
「……嗯……我在看對面那隻狗出來散步了沒……」
「……嗯……我在呼吸早上新鮮的空氣呀……」[39]

一連7個語段首尾用省略號、「嗯」的前後也用省略號，構成符號形式的對稱美，省略號還為字符的解讀提供了無限延展的想像空間。這7個語段整體類同而長短參差，語段整體類同造成的和諧美與女主人公外貌的矜持好強相統一，語段長短參差造成的錯落美又與她內心的忐忑期待相映對。為了在陽臺上刷牙可以天天看到「他」，故不得不挖空心思，尋找名目繁多、幼稚可笑的藉口來掩藏心靈秘密，塑造了一個嚮往愛情卻羞於告人的初戀少女形象。

五、間插構成的形式美

不是任意語段相互間插就有美感，間插如果毫無美學特徵或規

---

[39] Putin《愛我的請舉手》，載《幸福銀行》第191頁。

律性，就談不上形式美。網絡文學文本語段的間插有兩個形式特徵：一是採用長語段與短語段相互間插；二是其中的短語段以重複的方式多次出現。《第一次的親密接觸》就有這樣的語段：

> 舉例而言，你若是女的，很可能會在網上變成男人；
> 反之亦然。
> 或者你已30歲，很可能會在網上裝成17歲的妙齡少女；
> 反之亦然。
> 又或者你明明是恐龍，很可能會在網上以絕代佳人自居；
> 反之亦然。[40]

這樣間插的語段美學效果是明顯的。符號相同的語段每隔一定的空間距離複現，表現了富於動感節奏的跳躍美，加強了特定形式吸引視覺的親和力，從而使該語段成為讀者關注的重點。複現的短語段與長語段相互間插所構成的符號形式的鑲嵌美，不但使語段長短對比呈規律性變化，而且短語段以長語段為對稱軸又構成線形序列的對稱美。由於長語段的幾何長度數倍於短語段，它們與短語段的配對組合就呈現出十分明顯的長短懸殊而構成形式上的落差美。就以上6個語段的整體形式看，長語段的幾何長度大致相等，短語段則完全相等，它們間插配對組合在宏觀上顯示出和諧與齊整的形式美。不過，這組語段是以詩行排列方式來表述小說的內容，所以幾個長語段的幾何長度沒有明顯的差距。非詩行排列方式的文本，長

---

[40] 同[13]，第41頁。

語段的幾何長度通常並不一定如此整齊，小非的《謀殺續集——老師別鬧》中有一組語段也採用間插方式組合，其中長語段的幾何長度明顯不均等：

> 離開教室的時候我碰見了校長，他拍著我的肩膀說：「你可真有一套！」
> 我目光呆滯，像一條死魚。
> 校長還說：「你剛才的課我在外面聽了，非常有新意。像你這樣的人才不多見呀！」
> 我目光呆滯，像一條死魚。
> 校長還說：「我從教三十多年，還從沒聽過如此生動的一課，剛才，你不僅給學生們上了精彩的人生一課，也給我上了一課。」
> 我目光呆滯，像一條死魚。
> 校長還說：「過些時候市里要評個『先進園丁獎』，我一定把你報上去。好好幹，小夥子！」
> 校長說著就走了，我還是目光呆滯，像一條死魚，順著人流，漂呀漂呀，哪怕是三年沒釣上一條魚的釣者，也不會對我這條死得發臭的魚感興趣。㊶

雖然長語段的幾何長度不均等，但短語段的字符完全相同，且有規律地複現，仍然表現了具有動感的跳躍美。長短語段兩相間隔構成

㊶　同㉜，第 30 頁。

的鑲嵌美，使短語段在長語段的映襯之下如長帶上的明珠熠熠生輝，成為視覺感受的亮點。有 3 個長語段開頭的 4 個字符相同，與字符完全相同的短語段相間，進一步強化了鑲嵌美的視覺感受。長、短語段幾何長度的懸殊，是內容的表達在形式上的一個標誌。長語段在內容上的每一次提升，都使短語段的內涵進一步豐富；長語段的語義張力愈大，則短語段的美學意味愈濃。因為短語段的字符恒定不變，長語段的信息量每次增大，都迫使讀者對短語段必須重新進行詮釋，這就以精粹的符號形式給讀者留下了「空白」，而「空白」就是藝術想像空間，長語段信息的不斷增長，意味著短語段藝術想像空間的不斷擴展，這就大大豐富了它的內涵，從而具有意味深長的美學韻味。兩者線形序列長短的對比，不但映射著語義反差的對比，更隱括著深層價值觀的迥異，從而造成極具諷刺意味的藝術效果。可見間插構成的形式美不單是語段成為視覺亮點的一種標誌，而且是吸引讀者解讀文本深層內容的先導。

六、層遞構成的形式美

一組語段的幾何長度按排列次序遞增或遞減，就構成字符行列的階梯美，階梯形式意味著內容表達方式的層級化。語段以層級方式排列展示的階梯美，易於與普通文本的排列方式相區別而成為視覺焦點，這就從形式上為文本內容的表達增添了感人的魅力。

請看《白玫瑰的故事》裏「瓶子」寫給「白玫瑰」的信：

玫瑰，

你到底來不來啦？

你來啦！我求求你來啦！

我希望能在畢業典禮上見到你……[42]

這封信不按常規排列而呈梯度遞增，有利於內容的深入表達：第一層提起收信人；第二層詢問對方；第三層請求對方；最後向對方提出希望。每下一層，語義都較上一層有所加深，語段幾何長度的梯度變化與語義的層層遞進融合於一體。這一封形式獨特的短信揭示了男主人公「瓶子」情感的動態變化，表現了一個從矜持自負到屈己求人，再到熱切盼望的青年學生獨特的內心世界。這不只是把女主人公感動得「眼眶不爭氣地紅著」，讀者也會從語段的形式與內容不露斧鑿的自然交融中獲得美的享受。

語段的層遞還有利於人物形象的塑造，恩雅的《我把春天留給了你》就有這樣的語段：

那個女孩是喜氣的。

她對著屋裏的零亂大叫。

也對著他領子上的黑垢大笑。

我快樂地看著他們，他快樂所以我快樂。

那晚，又是淩晨了，他累得不行，倒在床上睡著了。

那個女孩，悄悄地把被角給他拉好，輕輕地關了所有的燈。[43]

---

[42] 同[26]，第 47 頁。

[43] 恩雅《我把春天留給了你》，載《2000 中國年度最佳網絡文學》第 280 頁。

借助語段幾何長度的遞增從不同方面展開細節描寫：第一段是「我」對「女孩」的總體評價；第二段寫她性格的直率；第三段寫她的爽朗樂觀；第四段寫「我」被他們的樂觀感染，側面表現「女孩」的樂觀個性給冬天的家帶來了春天的溫暖；第五段寫「他」的勞累，為下一段展現「女孩」善良細心的品質作鋪墊；第六段通過兩個行為細節描寫揭示「那個女孩」的心靈美。6 個語段隨著幾何長度的遞增，筆觸變得愈加細膩，色彩變得愈加豐富，有如工筆國畫層層渲染。整組語段對女孩的外貌不著一字而如見其人，如聞其聲，給讀者留下發揮想像和創造的藝術空間，「大叫」、「大笑」、「拉」、「關」這些符號，通過聲音和動作的綜合聯想而使人物形象有層次感、立體化。語段的階梯美與人物的形象美相互襯托，產生形式與內容雙重的美感。

語段逐級變長的排列形式有利於內容的推衍與開展，語段逐級變短的排列形式則便於內容的歸納與收縮。王夔的《2 月 27 日下午三點左右的東進大街》就以幾何長度遞減的語段來逐層揭示年輕姑娘的心思：

> 我的左腿會比我的右腿矮一點點，只是一點點，我走路的時候，一般人不會看得出來。她說。
>
> 哦，我實在不明了她的用意。不想她立即下床走了起來，你看是不是？
>
> 是是是 !!! 我連忙讓她坐下，才好的，還是不要亂運動。
>
> 只是我這左腿以後吃不得苦了，唉！她長歎了一口氣。
>
> 我還是不明白她的用意，只好沈默。

你說我以後怎麼辦？她說。

我還只有保持沈默。[44]

第一個語段最長，適於鋪敘。女主人公劉麗的談話是意在言外，可惜「我」不明白。第二語段相對較短，內容也相對精練，是以行動作進一步的暗示。第三語段緊接上段制止她的行動，但體現了對她的關心。如果說第四段她的措辭還算委婉的話，第六段則是以直白的話語表達了對「我」寄予的厚望。對女主人公行為言談的描述隨語段幾何長度的變短而同步精簡；男主人公的表述也隨語段變短而由具體言行歸結為沈默。內容的逐步濃縮精練與語段形式的階梯美相默契，階梯形式為語段內容的逐級推進提供了思惟空間和審美意趣。

第三節　篇章形式審美

篇章採取何種形式主要出於表達內容的需要，而形式一旦確立，它自身應具有相對獨立的審美價值。換句話說，無論文本的篇章形式是否與內容契合，都必須具有一定的審美價值。形式缺乏美感或形式美與社會審美觀念相違背都會妨礙內容的表達，反過來，有時篇章形式具有新的審美意趣會使文本成為社會公眾的視覺亮點，從而催動讀者對文本內容的求知欲，蔡智恒的《第一次的親密

---

[44] 王夔《2 月 27 日下午三點左右的東進大街》，載《一生最美一文·另類卷》第 138 頁。

接觸》就是如此。

網絡文學文本在篇章形式上的創新，必須適應網絡的特點。就如話本小說，給聽眾一段一段地講，寫在紙上得分回目，這就自然確立了話本小說的形式特點。把紙質文本掃描為電子文本，然後上網發表，這樣的電子文本形式與紙質文本完全一樣，毫無新意。如果直接用鍵盤把文本敲到網上，那就得考慮讀者是否願意看，是否喜歡看。究竟採取何種形式把符號排列組合為篇章，雖然取決於網文作者的文化底蘊和美學觀念，但窮根究底，網絡讀者的審美需求才是網絡文本形式創新的動因。

中國小說已經有了成熟穩定的篇章形式，要發明一種新的形式，而且為廣大讀者接受，是有很大難度的。但是，像傳統小說那樣冗長呆板的符號排列形式在網上出現，很難使處於快節奏中生活的網民得到愉悅的審美享受，而且，短時間內網文作者也不可能一下子寫出數萬甚至數十萬漢字符號的文學文本來。網上即時寫讀的環境制約著作者與讀者只能一部分一部分地按一定的時間順序寫和讀，蔡智恒找到了這樣一種網上小說符號排列的新形式，儘管這種形式現在已經成為發明者的桎梏。不過，蔡氏發明的用詩行來展示小說內容的篇章形式，仍不失為本節所要討論的首要話題。

一、詩行形式審美

長篇敘事詩有曲折的故事情節，有生動的人物形象，它用詩行形式來排列符號，構成篇章，這本來就是天經地義的，可是，如果用詩行來寫小說，或者說把小說文本排成詩行的形式，讀者能接受嗎？事實是不容置疑的。其中原因固多，但不能否認文本的形式美是一個重要因素。

詩行只是大致的說法，嚴格地說應當是長短語句的多層次分組結構形式。《第一次的親密接觸》整個文本分為 10 個大組，即：Plan、輕舞飛揚、網路邂逅、見面、咖啡哲學、距離、泰坦尼克號、消失、思念、最後的信。10 個大組分為 34 個小組；每個小組統攝若干語段；每個語段由若干語句構成。大組以題目為形式標誌；小組以 to be continued——為形式標誌；語段之間以空行為形式標誌。構成語段的語句的多少與長短沒有固定的限制，一個語段擁有多少語句以及語句孰長孰短，大體上是按小說的故事情節和情緒節奏來決定的，而且在需要的時候，還注意到語音節奏，甚至在比較緊要的語段還押韻，這可以說是吸收了詩歌講求音韻的長處，不是非詩行排列的小說所能比擬的。

傳統小說呆板冗長形式造成的沉悶和壓抑感，被長短語句的靈動形式以及大量空白所打破。新的文本形式以隨情節和情緒節奏展開的大小語段的組合，在不同時段以獨立篇章出現，從第一個大組標題「Plan」到第一次出現的形式標誌「to be continued——」，這就是一個獨立的篇章。小說開局的這一篇章形式由 4 短 3 長 7 個語段構成，4 個短語段每段各有 3 個語句，3 個長語段每段各有 10 個語句，篇章整體具有疏密反差強烈的對比美。

4 個短語段相對於長語段而言顯得俐落疏朗，但又各具形式特色。第 1 個語段以居中的長句為對稱軸，兩個長度相當的短句上下對稱；第 2、3 兩個語段都以一長句帶兩短句，而且兩個語段每句開頭對應的位置都以同樣的符號相互映照，既整齊又和諧；第 4 個語段的 3 個語句從長到短依次遞減構成階梯美。

由第 1 個語段引出的 Plan 共有 9 行 3 段，是小說的「眼兒」，形式上是一首現代自由詩。三分之二的詩行押交錯韻，使僵硬的形式邏輯推理因獲得韻律美而生動起來。以下的 3 個長語段都按故事情節的發展鋪排語句，有些語句的長短似乎看不出非如此不可的理由，例如有兩句話就排成這樣：

> 我想我大概可以加入斯蒂芬·斯皮爾柏格的製作班底，
> 去幫他做電影特效了。室友阿泰的經驗和我一樣，
> 如果以我和他所見到的恐龍為 X 坐標軸，
> 以受驚嚇的程度為Y坐標軸，可以經由回歸分析而得出一條
> 線性方程式，然後再對 X 取偏微分，對 Y 取不定積分，
> 就可得到「網上無美女」的定律。㊺

為什麼「去幫他做電影特效了」不接著「班底」一字排開，卻非提行不可？如果嫌「可以經由回歸分析而得出一條線性方程式」太長，為什麼不乾脆讓它獨立成行，或在任何一處分拆，非要在「一條」後面分開排列？按照小說通常的排列方式，這兩個語句應當首尾銜接，行行排滿，不留空白。而作者不循規蹈矩，卻另闢蹊徑，以長短自由的詩行形式來鋪排小說內容，必有其獨特用心。首先，網上的環境使抱著休閒心態的網民沉不下心來閱讀密密麻麻的文本，活潑簡短的符號行列容易吸引讀者的視線；其次，符號行列右邊留空，給讀者留下了想像的空間和懸念，構成潛在的閱讀驅動

㊺ 同⑬，第 13 頁。

力；再次；符號行列的長短切分，既要切合內容的需要，也要考慮形式的美感。以上兩句話何以要如此排列？最直接的理由就是這樣排列構成了線形序列的階梯美。何以每個短語段都是 3 行，長語段都是 10 行？因為這樣既構成疏密對比，全篇又顯得整齊諧調；篇章形式既有變化，又不失淩亂。篇末以「to be continued——」代替了傳統小說的「欲知後事如何，且聽下回分解」，這就等於暗示了文本的小說性質而不致於因詩行形式造成誤會。

但是，「Plan」以及其他篇章的形式美並不只是孤立的美，它必然是整個小說篇章形式美的有機結構成份，因此，構成小說的 10 個大組或曰 10 個小篇章不僅內容相互繫聯，而且形式上也相互諧調，共同構成整個小說篇章的形式美。儘管各大組語段包含的語句多少長短有變化，但結構形式大體相似，且有顧盼照映。把小說末篇「最後的信」裏輕舞飛揚的 9 行詩句與首篇「Plan」開頭的自由詩相比較，不難發現網文作者在形式上灌注的匠心。痞子蔡的 plan 是這麼寫的：

「如果我有一千萬，我就能買一棟房子。
我有一千萬嗎？沒有。
所以我仍然沒有房子。

如果我有翅膀，我就能飛。
我有翅膀嗎？沒有。
所以我也沒辦法飛。

如果把整個太平洋的水倒出，也澆不熄我對你愛情的火焰。

整個太平洋的水全部倒得出嗎？不行。

所以我並不愛你。」

輕舞飛揚的藍色信紙上寫的是：

「如果我還有一天壽命，那天我要做你女友。

我還有一天的命嗎？沒有。

所以，很可惜。我今生仍然不是你的女友。

如果我有翅膀，我要從天堂飛下來看你。

我有翅膀嗎？沒有。

所以，很遺憾。我從此無法再看到你。

如果把整個浴缸的水倒出，也澆不熄我對你愛情的火焰。

整個浴缸的水全部倒得出嗎？可以。

所以，是的。我愛你。」

痞子蔡 plan 的前兩個語段長——短——短的線形序列到輕舞飛揚那兒換成了長——短——長的格局。前者由於長短語句有規律地間插而具有交錯美；後者因為短句上下的兩個長句大致均衡而具有對稱美。兩者的共同點是：都由於同一語段形式重複出現而具有和諧美，而且 1 與 3、2 與 4、3 與 6 句開頭的符號完全相同，句末都交錯押韻。在小說開篇與結局的這兩組語段中，最後一個語段的排列形式相同，這就使得這兩組語段的形式因其相似而首尾呼應，相映生輝，為整個小說篇章形式增添了往復回環的旋律美。

文本借助語段相同形式的重複埋下伏線，把各個小篇章貫通一氣，使整個小說篇章都盪漾著回環的旋律。明顯的例子就是第 2 大組中輕舞飛揚的 plan：

「我輕輕地舞著，在擁擠的人群之中，
你投射過來異樣的眼神。
詫異也好，欣賞也罷，
並不曾使我的舞步淩亂。
因為令我飛揚的，不是你注視的目光，
而是我年輕的心。」

這個 plan 在第 8 大組中經痞子蔡改動，以相同的語段形式把第 2 大組埋下的伏線接起來：

「我大聲地咆哮，在寂靜的教室之中，
你投射過來異樣的眼神。
同情也好，不爽也罷，
並不曾使我的聲音變小。
因為令我度爛的，不是你注視的目光，
而是我被當的流力。」

儘管文字符號稍有不同，但相同的語段形式帶來了似曾相識的審美感受，同時更加坦露了男女主人公無視他人、獨重一己的主體意識，從而強化了兩者相戀而且必然相離的深層思想基礎。小說宣告 The End 之後，篇末還附有輕舞飛揚在 BBS 上的一張帖子：

我輕輕地舞著，在靜謐的天堂之中，
天使們投射過來異樣的眼神。
詫異也好，欣賞也罷，
並不曾使我的舞步淩亂。
因為令我飛揚的，不是天使們的目光，
而是我的青蛙王子。

顯而易見，這個帖子並非畫蛇添腳，它以相同語段形式回應篇中曾兩次奏響的人生哲理之歌，完成了篇章形式回環美的最後一環。遺憾的是，在迴盪著小說主旋律形式美的華麗外衣下，包裹著的不是他人的冷暖，而是一己之所愛，或曰自愛。這就使貫通整個篇章的這一形式美特徵，在蒼白的思想籠罩下難以企及理想的藝術深度而黯然失色。

二、題記形式審美

以線形序列的形式作為標題，然後展開語段，構成整個篇章，這並非網絡文本獨有的形式特徵，但有的網絡文本將這種排列形式經過處理，就表現出篇章結構的形式美。風兒的散文《假如我是洛麗塔》用線與面的結合建構了一種不是散文慣用的篇章形式，這種形式可以用幾何圖形示意如下：

圖中的 4 條橫線，代表文本中的線形序列，這 4 個線形序列都具有相同的符號：「洛麗塔，我生命之光，我欲念之火，我的罪惡，我的靈魂。」圖中的 4 個長方框，代表語段。由於線形序列符號相同，幾何長度相等，語段之間的題記表現出整齊的和諧美與重複的回環美。語段的符號容量從篇首到篇尾逐段遞增，第 1 段 5 行，第

2 段 6 行，第 3 段 8 行，第 4 段 10 行，㊻構成了篇章形式的階梯美。題記的線形序列與長方塊語段的規律性間隔，又構成了通篇行文的交錯美。

題記擴展為自由詩，是網絡小說篇章的表現形式之一。如《e 男孩飄女孩》分為 21 個大組，每個大組就是一個小篇章，每個小篇章的形式都是以自由詩的行列引導眾多的語段。這樣，單純同一的線形題記被多寡不一的詩行取代，齊整格局被打破，但仍使卷帙浩繁的小說篇章具有重複回環的形式美，原因就在於作為題記的詩歌給每個小篇章的卷首打上了不同於正文排列法的形式標記。這種形式標記實質上就是形式審美的變換，因為詩歌審美畢竟不同於小說審美，詩歌與小說的間隔除了審美意趣的轉換，還使傳統的小說文本有規律地呈現了篇章符號的交錯美與鑲嵌美。不過，這並非網絡作者的發明，而是宋元以來章回小說篇章形式在現代條件下的變種。無庸諱言，網絡作者大多出於文字基礎或心態原因，即使是「自由詩」寫起來也不那麼自由，所以，與其用詩行取代單行題記，毋寧以多行散文取代單行題記更為省心省力，如《愛上飛鳥的女孩》就是如此。這樣，徒然留下了一些長短率意，了無意趣的符號堆集，篇章形式也就無美可言了。

與此相反，把題記簡略為一個符號，如果這個符號的含義可以高度概括所引導語段的主要內容或意向，那麼，不僅形式與內容相對融洽，而且篇章形式也顯得樸素明瞭。雜文《酸甜苦辣話經銷》

㊻ 風兒《假如我是洛麗塔》，載朱威廉主編《榕樹下》，上海文化出版社 2000 年 3 月版第 15－16 頁。

就以標題中的前 4 個字作為題記，[47]構成如下篇章形式：

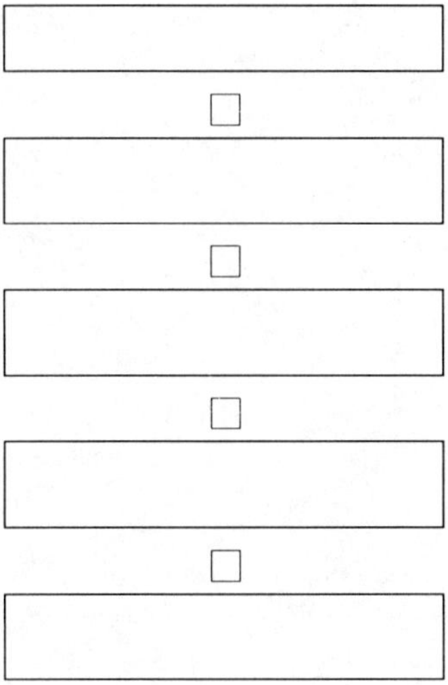

單個符號作為題記容易成為視覺重點，它作為每個小篇章發端的形式標誌，同樣表現了重複回環的形式美，它與若干語段有規律地間隔，也顯示出篇章形式的交錯美與鑲嵌美。當然，這與現代小說用中文序數詞或阿拉伯數字標注章節沒有實質上的不同，把數字轉換為漢字只是多少增添了形式與內容的融洽度而已。

---

[47] Michael Chan《酸甜苦辣話經銷》，載《愛是絕版》第 19－21 頁。

第二章
網絡文學語言的音律審美

文學文本的語言水平有多方面的表現，對語詞、語段、篇章音律的運用，是構成文本美學意蘊的重要因素。傳統文學文本歷來十分重視音律美，因為漢語語音系統從古以來就有豐富的元音，漢語的每個音節，也至少有一個元音，這種樂音（與噪音相對）成份濃重的特徵為構成富於音樂美的文本提供了得天獨厚的條件。但是，並非所有的文本作者都意識到了這一點，意識到這一點的作者也並非都能得心應手地利用這一點來創作出富於音樂美的文學文本。當今文壇，寫手雲集，創作的文本不可謂不多，但語言功底好的卻寥若晨星，好些獲得國家大獎的文本，不妨琢磨琢磨其語言，誰敢擔保能不令人汗顏。散文、小說姑且不論，就連詩歌的音律美學特徵，也被拋到九霄雲外了。只要看看先鋒詩歌作者們的敘事詩，如果這也叫做詩，它們究竟有幾分詩歌的音律美。不能否定詩人語言的蒼白，一如不能否定詩歌敘事方式的革命，詩歌雖然革命了，但是從革了命的詩歌裏能享受到幾分音律美呢？假如沒有了音律美，那還算是詩嗎？

至於當今的網文作者，就總體水平而論，比不上當代以傳統方式進行創作的專業作家，就語言技巧而言，也相對顯得粗糙，但這並不意味著網絡文學語言一無是處。客觀地說，網絡文學語言在音律方面基本上沒有超邁前人的突出成績，大量的網文作者甚至缺乏漢語音律的基本常識。網絡文學文本的大眾性使得不具備任何文學修養的網民都可以自由發表自己的創作，網絡文學文本的消遣性又使得網文作者從一開始就沒有把文本的語言錘煉作為創作文本的必備條件，因此，純粹搞笑缺乏思想深度的產品，空洞無聊言語甕腳的產品，像麥當勞似的充斥網壇，轉瞬即逝，留不下有文學意義的痕跡。值得注意的是，網絡語言的符號形式和用詞習慣卻給青少年一代帶來廣泛的影響，不少學生寫的作文，教師看不懂。影響所及，以至於中央電視臺播出了包括專家在內的關於討論網絡語言的專題節目。節目的議題之一是網絡語言是否需要規範，規範會不會限制網絡語言的發展。其實，「規範」不等於「限制」，規範是為了消除語言垃圾，讓網絡語言更好地發展。規範需要榜樣，需要引導，因此，網絡文學文本中為數不多的亮點亟待發現和分析，為加強網文作者的文學修養和提高網絡文學的整體創作水平提供參考樣例和理論指導。

第一節　語詞音律審美

優秀的網文作者自覺或不自覺地借鑒了傳統文學的音律表現手法，他們在文本中往往運用一些富有感染力的文學語言，這些文學語言在一定程度上體現了漢語的樂音特色。在特定的網絡文學環境中，具有一定的聽覺美感的語詞、語句和語段相互協同，構成文本的音律美，音律美是文本產生藝術魅力的原因之一。造成文本音律美有多種手段，就網絡文學語言的語詞音律特徵而言，主要表現在語音的重複、語音序列的長短、音節的平仄和採用諧音這四個方面。

一、語音重複

相等音長的語音重複造成文學語言的音律美，而同一語音單位重複相連通常稱為重疊，重疊是語音重複最常用的一種表現手段。重疊有兩個基本的層次：一是詞法層次，通常是由兩個相同的音節結合為一個單純詞，如「離離」、「夭夭」；另是句法層次，通常是由兩個單音詞或雙音詞構成並列式短語，如「高高」、「涼爽涼爽」。在句法層次上，重疊構成的短語與其他句子成分還可以構成不同形式的短語，如「蹦蹦跳跳」、「一棵棵」等等。老湯的《芳草茵茵》有如下一段文字：

> 我隨手將茵茵送我的那盤音樂放到床頭的機器裏，在古塤的蒼涼之後，悠揚的長簫聲將我帶入了夢境。夢中青山嶙嶙，芳草茵茵。那種娓娓流暢的自然之美的韻律，把我的心魂徹底沁染。❶

「嶙嶙」是單純詞，它以音節的重疊構成了聲母與韻母相等音長的間隔，這就賦予文本聽覺美感。它的聲韻格局是 l－in－l－in，l 和

---

❶　老湯《芳草茵茵》，載陳村主編《人類兇猛》，花城出版社 2001 年 4 月版第 47 頁。

in 相互間隔形成同一語音元素重複出現的迴旋音律，在文本中與「青山」組合為一個包含兩個音步的語音序列，既有迴旋的音律美，又有勻整的節奏美。「茵茵」、「娓娓」也是單純詞，與「嶙嶙」不同的是它們都是零聲母，這兩個語詞分別以相同的韻母重複出現，強化了相等音長的同一音色，在文本中由於語音的高度和諧而悅耳動聽。這段文字由於運用了這幾個疊音單純詞，構成了「青山嶙嶙，芳草茵茵」、「娓娓流暢」等動聽的樂音鏈，因而使該語句成為審美關注的亮點。

句法層次上的語音重複遠比詞法層次的表現形式靈活多樣，《萊茵河的濤聲》描寫歐洲的環境特色，就運用了多種重疊手段：

> 一塊塊的牧場，周圍全是樹；一塊一塊的莊稼地，也用成行的樹相隔；公路兩旁的樹並不高，從地面上長出來就枝枝杈杈，分不清樹幹與樹枝。一棵棵大樹的樹冠被人工製成一團團綠色的蘑菇狀，活像一尊尊盤腿而坐的大佛，肅立在高速公路的兩旁，似乎在檢閱過往的車輛。❷

量詞「塊」重疊為「塊塊」，再與數詞「一」構成「一塊塊」，類似的數量短語還有「一棵棵」、「一團團」、「一尊尊」。兩個相同單音詞的重疊與兩個相同單音節的重疊雖然語法層次不同，但同樣具有高度和諧的音色，語音同樣悅耳動聽，它們與數詞「一」組合為短語，每個短語就是一個基本的語音節奏單元。由於現代漢語

❷ 白樺雨《萊茵河的濤聲》，載《人類兇猛》第 117 頁。

雙音節詞占總詞數的 73.6%，❸漢語語音鏈上兩個音節一頓已經成為主要趨勢，文本的識讀者受到兩字一頓心理定勢的影響，在語音序列中遇到單音節與雙音節構成的語音單元，通常採取留出音空或延長發音時間的閱讀方式，形成整齊的節奏。如「一塊塊」會讀為「一」——「塊塊」，「一」後邊要麼停頓一個音節的發音時間，要麼拖長一個音節的發音時間，以構成 2 拍對 2 拍的語音節奏。文本中 4 次重複這樣的語音序列，因間隔呈現出規律性的語音形式而具有回環往復的旋律美。另外，「一塊一塊」與「枝枝杈杈」的語音特色也不同。前者因相同的數量短語重疊而呈現語音的交錯美，「一」與「塊」交替重複，造成語音的規律性頓宕起伏；後者各自以單音節名詞重疊然後再並列組合為 4 字短語，既強化了同一音節的樂感，又顯示了不同音節的音色對比，構成了和諧而又有變化的樂音鏈。整段文字由於以上語詞的音律美而相映生色。

語音重複不限於重疊，因為重複既然是構成文學語言形式美的主要手段，而符號形式與語音存在對應關係，因此重複的符號序列基本上都意味著語音形象的再現，這樣，重複手法的適當運用，往往會產生形式與語音的雙重審美效果。例如：

> 牧場如綠色的地毯，樹林如綠色的屏障，馬路如綠色的長廊，無論德、法，還是荷、比、盧，給人的第一印象就是那綠色的世界和世界級的綠。❹

---

❸ 吳潔敏、朱宏達《漢語節律學》，語文出版社 2001 年 2 月版第 107 頁。

❹ 同❷。

開頭3個符號序列的語法結構相同，幾何長度相等，具有形式上的和諧美與齊整美。其中「如綠色的」4 個音節每隔相等的空間距離和時間長度就規律性重複出現，使這一音節群居於語音鏈中的突出地位。規律性複現不僅使同一音節群的音色得到加強而收反復詠歎之效，而且相同音節群前後映照，造成了回環顧盼的優美旋律，再加上這3個語句的音步停頓完全一致，語音節奏相當和諧整齊，這樣，符號序列與語音序列的和諧齊整融為一體，語音序列的樂感與旋律相對於符號形式，猶如樂曲之於曲譜，使每個符號都洋溢著豐富的音律美。

二、語音序列的長短

構成語詞或短語的音節數目不同，出現在文本中可切分的語音序列就有長短之別。切分的標準不同，語音的聽覺感受也會不一樣。語音序列長短的搭配組合方式多種多樣，搭配的技巧可以使本來不顯眼的語詞或短語在特定文本環境中產生音律美。周國文的《荒誕》就有這樣的例子：

> 莊嚴，對於一切荒誕的，都需要質問；成熟，對於一切荒誕的，都歷經錘煉；理性，對於一切荒誕的，都備加考驗。❺

孤立地看「對於一切荒誕的」這個短語，沒有多少音律美，但在上面這段文本中，與其他語音序列組合起來，語音效果就大不一樣

❺ 周國文《荒誕》，載《人類兇猛》第82－83頁。

了。首先，每個分句都由短、長、中 3 個語音序列構成，這 3 個音列都週期性地重複出現 3 次，形成了規律性很強的同步節奏美；其次，在短、長、中 3 個音列中，只有長音列的重複是聲韻調完全一致的再現，這就造成了反復詠歎的回環音律美；再次，由兩個音節構成的短音列與由 7 個音節構成的長音列在發音的時間長度上相對懸殊，與由 5 個音節構成的中音列在音長上也不一致，因而產生語音的參差錯落美。該短語的這些語音美學特徵，離開了特定的文本環境，就不可能表現出來。

漢語的單音詞由於元音的樂音音色而中聽；複音詞由於內部的音節之間聲母或韻元音色的相同或相類而具有審美特徵；文本中的長、短語音序列則由於有規律性地排列，相互對比而產生音律美。因此，運用本身具有美學特徵的語詞，固然可以組成音律優美的語句；美學特徵不明顯的語詞，利用長短對比的規律，同樣能夠組成富於審美特徵的文本。在下面一段文字中，如果把語詞剝離具體文本，「菊花」、「月季」、「海棠」各自的聲韻搭配都沒有審美韻味。有的語詞如「美人蕉」，既有形象性，且有「仄平平」的聲調對比，但也還談不上音律美。當它們以長短不同的語音序列組織在文本中，語音效果就不同了：

> 菊花，月季，海棠，夜來香，美人蕉，蘭花草，萬年青，甚至金橘四季橘等等擺設其中，隨你所好而置，或是閑來自我欣賞，或是三五知己良朋小坐，一盞清茶，一袖月色，讓紅線女清麗婉約的粵曲在夜色中繚繞飄盪，一切都顯得是那樣

的別有情趣。❻

整段文字以 7 短——4 長——2 短——2 長的格局構成語音鏈。組織起來的長短不一的語音序列相互繫聯，相互對立，使處於不同語音序列上的語詞，都具有了音律美。短音列分 3 個層次。第 1 層由 3 個雙音詞構成 2 音一頓的節奏美；第 2 層由 4 個三音詞構成 3 音一頓的節奏美；第 3 層由 2 個 4 音節短語構成 2 音一頓的節奏美。每一個層次就是一個基本節奏單元，每個單元包含若干音步，音步有規律性地重複構組為音列，音列按長短不同調整變化，產生不同的節奏美。就停頓而言，停頓即音空，音空雖然無所謂音色，卻是構成節奏的必要因素，停頓時間的長短直接影響節奏變化。如「菊花，月季，海棠」與「一盞清茶」，都是 2 音一頓，但前者較長而後者稍短。語音序列的長短對立在文本中呈現參差美，使音列中任一語詞獲得了審美價值。

三、音節的平仄

音節的平仄是構成語詞音色的重要因素。但對平仄的理解古今有異，這是因為調類和調值變化所致。中古漢語有平、上、去、入 4 個調類，平仄是指平聲與包括上、去、入 3 聲的仄聲。現代漢語有陰平、陽平、上聲、去聲，沒有入聲，因而網絡文學文本中漢語音節的平仄，指陰、陽平與上、去聲。平聲調值高而響亮，仄聲調

---

❻ 風中玫瑰《廣州風情——杏花巷記憶》，載風吹佩蘭等著《一生最美一文·散文卷》，中國工人出版社 2002 年 1 月版第 26－27 頁。

值曲折低沉，平仄不同的音節按一定格局搭配或有規律地重現，就構成高低抑揚的樂音鏈而具有音律美。

如上所舉「菊花，月季，海棠」，其搭配格局是「平平——仄仄——仄平」；「夜來香，美人蕉，蘭花草，萬年青」的搭配格局是「仄平平——仄平平——平平仄——仄平平」。就每個獨立的語詞而言，或平或仄或平仄對立，雖然有高低音色的區別或對立，但不能表現音律美，音律美的表現，必須借助於文本中語音序列的構組技巧。「菊花」高平，「月季」低促，彼此獨立，索然無味；一經組合，2 音一頓，立見節奏美，音節成雙並列，亦見齊整美，平平與仄仄相反，又見語音的對比美。「夜來香」、「美人蕉」，音節數目相等，節奏一致，平仄結構相同，既有和諧齊整的形式美，又有語音連鎖對應的音律美。「蘭花草」既同前後語詞保持音節數目與節奏的和諧，又異於前後語詞的平仄格局，使這個語音序列的音律顯示了同中有變的特色。「萬年青」與「夜來香」的平仄格局首尾一致又造成了語音序列往復回環的音律美。

彼此不相干的語詞或短語，只要被組織在一個語音序列中，就會相互發生關係，同時還會與其他音列相互影響。其中的語詞或短語是否構成音律美，是檢驗構組技巧水平的試金石。下面是引自《一生最美一文·散文卷》的兩段文字：

1. 明天開始，游泳，打球。騎馬，劈柴。面朝大海，春暖花開。[7]

---

[7] 小鼓《男人的身體》，載《一生最美一文·散文卷》第 160 頁。

2.只見他頭頂呢軍帽，身著綠軍裝，足蹬麻草鞋，腰挎小手槍，紫黑臉龐，虎目生威，熊腰虎背，箭（按：應為「健」）步如飛，把隨行的要員們一下甩出幾丈遠。❽

第 1 段文字以句號為標誌分為 3 個語音基本單元。第 1 單元的「游泳」與「打球」為「平仄」對「仄平」，第 3 單元的「面朝大海」與「春暖花開」為「仄平仄仄」對「平仄平平」，這就使這些語詞和短語在音的高低上產生了對立反比的音律美。第 2 單元「騎馬」的音階雖然不能與「劈柴」同構或對立，但卻與「開始」、「游泳」、「春暖」等語詞和短語平仄一致，因而它們都具有反復回環的音律美。同理，「劈柴」與「明天」、「花開」都是平聲音步，它們分別處於這段文字的首、中、尾，也同樣具有回環的音律美。

第 2 段文字平仄技巧的運用賦予語詞多樣審美韻味。「呢軍帽」與「綠軍裝」構成「平平仄」對「仄平平」，顯示出音節的齊整美和音階逆向的對稱美；「麻草鞋」與「小手槍」的音階格局是「平仄平」對「仄仄平」，前一個音節平仄對立，後兩個音節平仄相同，表現了音階同構的和諧美與同構基礎上有所變化的對比美；「紫黑臉龐」仄平相間，兼有音階的對比美和交錯美；「熊腰虎背」既以兩平兩仄構成對比美，又與「虎目生威」、「健步如飛」兩個音列順向構成對比美，逆向構成對稱美；「虎目生威」與「健步如飛」前後顧盼，平仄格局一致，兼具和諧美與回環美。如果不

❽ Sima yan5106《難忘的演習》，載《一生最美一文·散文卷》第 151 頁。

計較介音的區別，那麼「裝」、「槍」、「龐」都押 ang 韻，「威」、「背」、「飛」都押 ei 韻，這些語詞由於被組織在文本中的特定位置上，因而具有韻律美。

四、諧音

網絡文學文本中出現的諧音有兩大類：一類是以漢字諧漢字，如以「修」代「羞」，以「藍綠」代「男女」；另一類是以漢字諧阿拉伯數字或英文，如「相約 98」被寫為「相約酒吧」，「9494」用來代替「就是就是」，MP3 被叫做「馬屁山」。如果出於文學形象塑造的需要，諧音自有其審美價值；如果僅僅為了省事以「94」代「就是」，那就不但談不上美，而且破壞了漢字體系的基本規範，必須堅決反對。一般地說，用來諧音的漢字與被諧的語詞共同出現於文本中，往往能夠相互照映，具有一定的音韻審美效果。例如：

> 宿舍這叫公寓，食堂這叫飲食樓，連廁所也改稱「一號」或者乾脆叫什麼「大不了拉尿（音 sui）」（WC）——樓裏早已人山人海，我點了一份筍和一個梨。媽媽說過：『出門在外，只要順（筍）利（梨）』就好啦。」[9]

這段文字由於「筍」與「順」、「梨」與「利」前後映帶，故有音

---

[9] 李莫笑《大學第一信》，載小非等著《一生最美一文·另類卷》，中國工人出版社 2002 年 1 月版第 141 頁。

韻回環之美。但由於缺乏音列長短、音階高低的技巧處理，整段文字並沒有因為諧音而具備規律性的語音審美特徵，由此可見，單靠「諧音」難以提高文本的語音審美內涵。

要把英文融入漢語，而且注意到形式美與語音美，難度不小。《青澀季節》有段文字：

> 對了，它沒有名字，就是中意大廈地下冷飲廳，後來，我們都叫它「cool bar」，再後來我們叫它「哭吧」。⑩

「哭吧」從構詞法看來，似乎是「酒吧」、「網吧」的仿造詞，望文生義，應該是專供哭泣的地方。可是看看這篇小說結尾的語句：「他一臉的傷感，說為秦君那樣的人真不值得。Cool bar，cool bar，哭吧！他大叫一聲，四座皆驚」，那「吧」顯然是個語氣詞。這正是把「cool bar」寫成「哭吧」的高明之處，而且這樣雙關的新造詞正好切合文本的人物個性和情節需要。該語詞出現的語句在形式上由兩組線形符號序列構成，每個線形符號序列都由 3 個子序列構成「短——較長——長」的語音格局，具有形式上對應的和諧美。「cool bar」與「哭吧」音同而文異，都處於音列末尾，既押韻且有反復回環的音律美。

---

⑩ 南南和北北《青澀季節》，載陳思和主編《2001 年中國最佳網絡寫作》，春風文藝出版社 2002 年 1 月版第 60 頁。

第二節　語段音律審美

若干語音序列相互協調，共同構成語段的音律美。語段的音律美主要體現在旋律和節奏，構成旋律和節奏的主要語音手段是重複、押韻、音列長短和平仄變化。通常情況下，語段的音律美是由多種審美特徵構成的，不過，其中往往有一、二種語音特徵對構成語段的音律美起主導作用。

先討論旋律。Andy-joi 的網絡小說《常常》第二章有如下一個語段：

> 王靜想要找個真正的森林，帶著秋的氣息。躺在軟厚的枯葉堆裏，綠水長流，浮雲變幻。穿過崎嶇的小巷，蜿蜒的公路，琳琅的百貨，炊煙的鄉村。直到淩晨還沒能走到，卻又回到城市中央。冷颼颼的風撲面襲來，大道上隔幾分鐘有出租車駛過，梧桐樹枝搖晃得嚓嚓作響，偶爾傳來易拉罐滾過地面的咔咔聲。⓫

其中有的語音序列不但形式整齊，而且音色優美。「綠水長流，浮雲變幻」利用「仄仄平平」對「平平仄仄」這種同向對立、逆向對稱的語音格局，使得音階的高低隨音步節拍頓宕抑揚，造成語音的對比美與回環美。「崎嶇」、「蜿蜒」、「琳琅」、「炊煙」這些

⓫ Andy-joi《常常》，載榕樹下圖書工作室選編《2002 中國年度最佳網絡文學》，灕江出版社 2003 年 1 月版第 52 頁。

語詞在相互對應的位置上有規律地重複同一音階，是造成優美旋律的主要原因。由於「崎嶇」、「琳琅」為雙聲連綿詞，「蜿蜒」為疊韻聯綿詞，這就在語詞層次上增添了樂音成份，使含有這幾個語詞的排比音列不僅形式整齊，旋律優美，而且音色動聽。以重疊手段構成的象聲詞加強了同音重複的氛圍，尤其是「嚓嚓」與「咔咔」韻母相同，前後呼應，而且有 3 個音列的末字「巷」、「央」、「響」押韻，使得整個語段沉浸在由語詞的聲母、韻母、聲調巧妙構組的旋律之中。

利用語詞聲、韻、調的重複與變化可以使語段產生優美的旋律，在語句層次上運用重複手段，同樣可以構成旋律：

> 同樣震動的還有趙一荻女士走下瀋陽火車的那一剎那。當一切都塵埃落定的時候，我們才有那樣的權利和膽氣去品評那一段前塵舊事，然而它早已像浮生（按：應為「光」）掠影一般地輕輕定了格。當一切都塵埃落定的時候，只有張少帥一九三四年留在上海法國公園邊上那幢西班牙式的小樓窗口的梧桐樹還在落葉，儘管那些枝丫把慘白慘白的天空劃成了一塊一塊，它還是在落葉，一樹一樹地飄下來，輕輕墜入土中。⓬

「當一切都塵埃落定的時候」這一語音序列的重複出現，構成了本語段的主旋律。另有三個雙音節語音單位「慘白」、「一塊」、

⓬ 惘然當時《民國女子》，載《2002 中國年度最佳網絡文學》第 263 頁。

「一樹」重疊為 4 字格短語，每個短語都有兩組不同的音節相互間隔而具有音色的交錯美。由於這三個 4 字格短語每隔 6 個音節出現，這就跨越不同的語音序列構成了有規律的回環美。語段中還有「落葉」、「輕輕」分別前後映帶，配合長語音序列強化整個語段的傷感旋律。

按理說，與音樂旋律最貼近的是詩歌，但伴隨著詩歌敘事化、直白化的浪潮，當今詩壇已經很難看到有濃郁的音樂韻味，有動人的旋律的詩歌。案頭就有馬鈴薯兄弟編選的《中國網絡詩典》，這是從近 4000 首網絡詩歌中挑選的 100 多位作者的 343 首大作。⓭大作不可謂不好，但就旋律而言，網絡文學文本中還有來自民間的非詩人創作的順口溜可供賞析：

馬和，抓著，馬和抓，輸給禿小丫

我撒頭，頭頭，油頭，油頭粉面上高樓，頭三頭單，頭對山，對對山

我撒二，二郎寶，去趕考，趕考回來天不早

我撒三，三月明，豌豆藤，豌豆開花紫又紅

我撒四，四青，四紅，四條白馬四條龍

我撒五，五月端，六月紅，家家小姐扣花絨

我撒六，六六，繡綠，繡文章蠟燭

我撒七，七七攎，攎荷花，荷花仙女笑哈哈，不抓七層不回家

我撒八，邋遢，邋遢大姐碗不涮

⓭ 馬鈴薯兄弟《中國網絡詩典》，江蘇文藝出版社 2002 年 9 月版第 411 頁。

我撒九，九九，扭扭，大船彎彎小船走

我撒十，十大人，爬大門，爬進大門有石城⓮

這首兒歌之所以極富韻致，就是因為既有多變的節奏，更有優美的旋律。產生旋律的法寶，是以多種手段重複語音相同或相近的音節。從豎向看，每個音列都用「我撒」領頭，在相同位置上一再重複相同的音節，無異於在相同的時間點上敲響悠揚的黃鍾，這就構成了規律性極強的語音鏈條，一到約定位置便反復發出相同的音響，產生往復回環的音律美。從橫向看，除了第 1 和第 9 個語句之外，其他語句一律用頂真重複數字。其中有的語句還用疊音手法強化語音的重現效果，如以「頭頭」緊跟「頭」，以「六六」、「七七」、「九九」重複「六」、「七」、「九」。有的音列不僅用單音詞（如「攎」），而且運用「油頭」、「趕考」、「荷花」、「邋遢」等雙音節語音單位連鎖重複，加之「對對」、「家家」、「哈哈」、「扭扭」、「彎彎」等疊音短語的自然穿插，使主旋律統率之下的語句的音色更為豐富優美。這首兒歌繫聯前後音列還採用了一種與頂真的完全重複不全等方式，即在後一音列的開頭嵌入其他音節，如「頭對山，對對山」、「爬大門，爬進大門有石城」，這種繫聯方式仍然具有同音重複的回環美，同時兼有語音的鑲嵌美。有的音列中還運用了間隔重複，如「馬和，抓著，馬和抓」、「四青，四紅，四條白馬四條龍」，其中「馬和」與「抓」、「四」與

⓮ 石西《人世》，載陳村主編《灰錫時代》，花城出版社 2001 年 4 月版第 236 頁。

「條」，構成語音的交錯美。押韻是構成優美旋律的重要因素。押韻的實質是在特定音列的特定位置重複映現同一韻母的音色。這首兒歌押韻方式多樣，一是句句為韻，一韻到底。如「我撒六，六六，繡綠，繡文章蠟燭」，文本作者是江蘇人，每個音列末音節用吳語讀來聲調一致，韻母均為〔o?〕；「我撒八，邋遢，邋遢大姐碗不涮」，每個音列末音節的吳語聲調也都一致，韻母也都是〔a?〕。二是句句為韻，中途換韻。如「我撒頭，頭頭，油頭，油頭粉面上高樓，頭三頭單，頭對山，對對山」，前 4 個音列同韻，後 3 個音列押另一韻。三是部份音列押韻。如「我撒五，五月端，六月紅，家家小姐扣花絨」只有後兩個音列押韻。四是韻母的最末音素相同也諧韻。如「我撒三，三月明，豌豆藤，豌豆開花紫又紅」，按吳語的發音，「明」是前高不圓唇元音，「藤」是中央不圓唇元音，「紅」是後半高圓唇元音，儘管三個音節的韻母主要元音不同，但它們都是舌根鼻輔音收尾，在音列末尾多次重複同一音素也是構成旋律的一種技巧。許多網絡詩歌不像民歌、兒歌那樣注重節奏、旋律、音韻的技巧，小說、散文注意文學語言音韻技巧的就更少見了。就現況看，網文以百萬計，然而真正具有審美韻味的文本實在並不多見。

其次討論節奏。節奏本身也是構成旋律的語音手段，只要某種節奏有規律地週期性出現，那就會產生旋律，可見節奏與旋律並非彼此孤立的。但節奏並不就是旋律，文本的節奏主要指語音的停頓、平仄、聲韻的搭配、語音序列的長短變化綜合產生的語音形象。從理論上說，語音的輕重、語調的抑揚、語速的快慢，同樣是構成節奏的因素，但文本是目治的符號系列，僅從符號系列本身不能斷定特定符號的輕重、抑揚、快慢，同一文本由不同的人朗誦，輕重、抑揚、快慢的處理也不盡相同，因此，影響節奏的這三種因素不擬討論。

就音頓而言，漢語音列大都兩音節一小頓，或曰兩字一音步。這首兒歌的任一音列都由兩字一音步和三字一音步構成音頓節奏，如「我撒七，七七攎，攎荷花，荷花仙女笑哈哈，不抓七層不回家」這段話的音頓節奏是 3，3，3，2——2——3，2——2——3，像這樣按不同的停頓模式重複相同的節拍，自然構成音列的節奏變化。不過在實際口語中，一般會把三字音列讀成兩個音步，如把「我撒七」的「七」拉長一個音節，讀為 2——2，則這個音列全是雙音節音步，優點是節奏更鮮明整齊，缺點是無變化而顯呆板。

就平仄而言，同一文本，用方言或普通話去觀照，語音效果不一定一樣。如「我撒三，三月明，豌豆藤，豌豆開花紫又紅」，用吳語朗誦，平仄格式是：平仄平，平仄平，平仄平，平仄平平仄仄平。如果改用普通話朗誦，第一音列就成了「仄平平」，雖然整個音列的節奏大致保持，但前 3 個音列統一的平仄模式被打破，語音效果就打折扣了。又如「我撒八，邋遢，邋遢大姐碗不瀨」，這段話用吳語讀，除「我」之外全是仄聲。如改用普通話，平仄格式是：仄平平，平輕，平輕仄仄仄平仄，這樣，仄聲音節構築的模式被解構，「八」、「遢」、「瀨」所押的仄聲韻關係也不復存在，仄聲沉穩的音色特徵被沖淡，而新建構的音列未顯示出語音特色，審美效果也就無從談起。

就音列的長短看，除第 2 語句之外的所有語句的音列組合，都是先短後長。短音列要麼都是 2 個音節，要麼都是 3 個音節，長音列要麼由 5 個音節，要麼由 7 個音節構成，具有嚴整的組合規律。同一語句內各個音列的音程長短對比構成了三短一長的節奏模式，按這模式往返重複，不只節奏特色鮮明，而且產生了風格統一的旋律。

網絡文學中有的非韻文文本也體現了節奏美，例如下面一段文字：

> 我們平靜地上課，下課，走神，如往常。我們豪邁，面對食堂；我們堅強，面對考卷；我們放縱，面對室友；我們平靜，面對眾人；我們渺小，面對這個大世界。⑮

這個語段除首尾兩個長音列而外，其餘全是短音列，且以 4 字格短語為主。中間的 4 個分句都由音節數目相等的兩個短音列構成，顯示出幾何長度均等的音列並排形成的均衡節奏，這種 4——4 相對的格局反復出現 4 次，而且「我們」與「面對」在特定位置上也多次重複，造成了回環的音律美。每個 4 字格短音列包含兩個音步，整個語段除少量 3 音節的音步外，基本上是 2 音節一頓，節奏類型比較整齊單純，具有明快的色調。同樣是具有長串 4 字格短語的語段，其節奏特徵卻未必相同：

> 不論處於有意識或無意識的狀態下，我們總是一直在失去。

---

⑮ 蘿蔔 6《有女如斯》，載榕樹下全球中文原創作品網編《一個人不如兩個人》，上海文化出版社 2002 年 4 月版第 262 頁。

> 人生就是一種失去的過程。失去童年、失去青春、失去親人、失去朋友、失去財富、失去健康、最後，失去自己。⑯

整個語段按音列長短分為兩類，前 3 個長音列為一類，後 8 個短音列為另一類。前一類長音列都含有若干隨機出現的 2 音節音步和 3 音節音步，但無音頓規律可循；3 個長音列都是仄聲音節佔優勢，但沒有出現規律性的平仄對立或相同平仄格局的重複，因此，這 3 個長音列缺乏節奏感。後一類除一個 2 音節的音列外，其餘全是 4 音節的音列，而且每個音列都包含兩個音步，它們並排在一起構成均衡而齊整的節奏。在 7 個音列中有 3 個相鄰的音列都是平仄平平，有兩個相鄰音列是平仄平仄，這兩種不同的音階模式在語段中重複出現，使節奏的高低呈規律性變化。短音列中「失去」在特定位置上的重複不僅與長音列中的「失去」連鎖呼應，而且給語段增添了回環往復、餘音嫋嫋的音律美。由此可見，該語段的語音特色是散漫自然與均衡齊整共存、長音列與短音列對比，講究節奏的變化和語音的回環美。

該語段雖然集自由與整飭為一體，但由於短音列占絕對優勢，節奏總的來說仍顯緊湊，如果適當增加短音列的幾何長度，或者將長、短音列互相穿插，那麼就會造成另一種語音特色。《古鎮舊事》裏的如下語段蘊含的音律美顯然與之大異其趣：

---

⑯ Hais《*hais & aimer*》，載陳宏雅等著《幸福銀行》，中國戲劇出版社 2001 年 12 月版第 69 頁。

> 古鎮從明朝中葉開始繁華，一直到晚清都是方圓數十里叫得響的集鎮，而且它的建築風格完全是明清的典範，小橋流水人家，粉牆黛瓦，雨廊騎樓，到處都是明清的痕跡。從一座拱橋，一根垂掛在橋邊的枯藤，一塊石板，一棵石縫裏的小草，一排屋簷，一片簷上的黑瓦上，都寫著古鎮的滄海桑田。古鎮就是這樣不慌不忙，一路走來，走了一千年，說的是吳儂軟語，吃的是稻麥菱藕，睡的是雕花木床，戴的是竹笠，穿的是蓑衣。⑰

作者對平仄的處理未超越語詞或雙音節短語層次，如第 4、5、6 音列開頭的「小橋」、「粉牆」、「雨廊」等短語的兩個音節都是平仄對立，第 9、10、11、12、13 音列都是以「一」領頭，這些音階相同的語音單位的重複使不同的音列相對顯得和諧；最末兩個音列中的「戴」與「穿」、「竹笠」與「蓑衣」平仄正相反，讀來頗有韻致，但整段文字沒有以完整的音列來構建週期性出現的音階模式，因此平仄不是構成節奏的主要手段。這段文字音列長短的排列有一定規律，「一座拱橋」、「一塊石板」、「一排屋簷」這 3 個短音列都分別與長音列間隔搭配，不僅長短參差呈現交錯美，而且長短音列週期性重現構成了「短——長，短——長，短——長」的節奏美。接下來是 2 長——2 短——3 長——2 短的語音序列，其中由 10 個音節構成的長音列複現 2 次，由 7 個音節構成的長音列複現 3 次，由 5 個音節構成的短音列複現 2 次，由於一連 3 種不同

⑰　斷橋殘雪《古鎮舊事》，載《人類兇猛》第 66－67 頁。

音列重複出現，使語段節奏由「短——長」變為「長——短」。長語段包含 7——10 個音節，彼此的幾何長度相差不大，短語段包含 4——5 個音節，幾何長度則更接近，這種長音多短音少的音列連鎖重複給人以從容不迫的語感，表現了長短變化有致的舒緩節奏。押韻是該語段的另一個特色，相同韻腳的音列構成一種韻律節奏。若不論開合口，「華」、「家」、「瓦」都押 a；「橋」、「草」押 ao；「板」、「簷」、「田」、「年」都押 an；「忙」、「床」押 ang；「笠」、「衣」押 i。在娓娓道來的從容筆觸中，利用韻元音色的重複，不僅給整個語段增添了韻律美，而且，韻律節奏與長短節奏交織的二重奏，使語段節奏的層次和音色都更為豐富，從而表現出頗為耐人尋味的、有較為深厚內涵的音律美。

第三節　篇章音律審美

篇章是由若干語段組合而成的，語段之間彼此繫聯又相對獨立，每個語段可能有獨具的語音特徵，但又必須與整個篇章的語言風格和語音特色相融洽。不同語段的語音特徵整合為篇章的音律個性，構成篇章音律美的主要因素是節奏和旋律，因此，篇章的節奏和旋律是通過各個語段的語音特徵相互默契來體現的。就小說、散文之類的非韻文文本而言，音律美主要通過節奏來展現；就詩、詞、曲之類的韻文而言，音律美主要就是通過節奏與旋律來表現的聲韻美。換言之，韻文除應具備節奏和旋律之外，必須突出聲韻搭配所構築的音色美，缺乏聲韻音色美的文本不是韻文，但這並不意味著非韻文文本就不講究旋律和音色的美。現實狀況是，注重篇章音律美的網絡文學文本可謂鳳毛麟角，極為罕見，這就給篇章音律的審美分析增加了客觀困難。不少網絡詩歌在音律方面的表現不容樂觀，大多缺乏必要的節奏和旋律，作為韻文的韻律已丟失殆盡，文本符號沒有構成樂音鏈，音列之間缺乏內在的音律繫聯，名實相違，這樣的文本自然談不上音律美了。

亦非所有的網絡文本都不重視音律美，有的文本尚有可圈點之處：

菊花的真意誰能知道
酒的真意誰能知道
我的一生短暫
只有一天　日出日落
我的一生漫長
當我俯身於籬邊的黃菊
世上已是滄海桑田
白天我以犁為筆
夜晚我枕酒為眠
我的詩是田野青苗萬點
我的琴沒有弦
只是東風　南風　西風　和北風
在松竹桑麻間吟歎
我的幸福誰能知道
我的豐饒誰能知道
生活複雜

生命簡單⑱

這首詩歌一共 17 行，每一行就是一個語段。構成此詩節奏的主要手段是重複音節數目相同的音列：其中 4 個音節的音列重現 5 次，8 個音節的音列也重現 5 次。重現 5 次的音列構成主要的節奏，其他音列的重複，一方面使節奏層次顯得較為豐富，但另一方面，由於音列長短參差，有不少音節數目相等的音列才出現 2 次，而且出現的間隔距離太大，這樣非但不能突出主要節奏，反而使節奏分散，削弱了音律的感染力。此詩運用重複手法有兩個特點：一是重複有相同音節的短語，如「東風　南風　西風　和北風」；二是重複有相同音節的語段，即開頭的「菊花的真意誰能知道　酒的真意誰能知道」與快結尾的「我的幸福誰能知道　我的豐饒誰能知道」，這樣前後映照，使詩歌語音具有回環美。

此詩一韻到底：有隔行押韻，如「暫」與「田」、「歎」與「單」都相隔 3 行；有連行押韻，如「眠」、「點」、「弦」。由於押韻無規律性而未能構成韻律節奏，但同一韻腳的多次重複無疑為整個詩篇增添了音色美。當代詩歌普遍不重視音節的平仄搭配，而此詩遣詞對平仄有所留意，如「白天我以犁為筆　夜晚我枕酒為眠」，其中就有 3 組語詞平仄相反，產生了鮮明的音階對比。可惜平仄的組織未構成一定模式，更未能有意識地使之週期性複現，這就不能使全詩產生抑揚有致的音階美，更不可能形成音階節奏。

非韻文的網絡文學文本也有注意音律美的，甯財神的《固態瞬

---

⑱ 陳立平《菊花與酒》，載《中國網絡詩典》第 16 頁。

間》便是一例。該文本包括 8 個小篇章，每個小篇章都不同程度地表現了漢語語音的樂音特徵。其中具有代表性的小篇章是《煙煙家樓下的小飯館》。該篇由 7 個語段構成，每個語段一般包含 10——15 個語音序列，最長的第 5 語段有 22 個音列，最短的第 4 語段有 7 個音列。音列包含的音節一般在 10 個左右，最長的音列有 25 個音節，不過，這樣長的音列為數甚少，超過 20 個音節的音列全篇只有幾個。綜觀全篇，長音列占絕對優勢，而且音節數目為 9——11 的長音列在各語段反復重現，因而構成舒緩的敘事節奏。在娓娓長談中，不少語句順口道來，缺乏平仄音階的規律性組織，音列的各個音步安排也未能構建規律性音頓模式，故該篇章雖然借助長音列的重複表現了敘事手法的舒緩節奏，但並未構成語句層次的音律美。

為了顯現文本的節奏特色，一是在長音列中嵌入了 4 字格短語，如「他對那些燈紅酒綠門庭興旺的地方比較感興趣」、「三來二去就把我駁得啞口無言」、「任勞任怨盡心盡力」、「才開始愁眉苦臉追悔莫及」、「一直喝到老眼昏花俯地長吐」、「日積月累歷久彌新」等；二是在大段的長音列中插入少量 4 字格短音列，如「小門臉兒」、「兩瓶下肚，涼風習習」、「更有甚者」、「厚厚一本」、「自卑透頂」、「每逢此時」、「一臉微笑，神情詭異」。這些 4 字格短語都是兩音節一頓，俐落整齊，打破了長音列的平靜沉悶，使整個篇章的節奏緩中有緊，平靜中有波瀾。

通過音列的押韻和語段末字的押韻來顯現漢語語音的韻律美，這是本篇值得注意的語音特色。音列押韻情況可以分段考察。先看第 1 語段：

> 我和煙煙住得很近，不超過兩百米，他家樓下有間小飯館兒，下了班我們經常到這裏喝上一杯，然後志得意滿回家睡覺。那個小飯館是沒有名字的，小門臉兒，玻璃櫥窗上貼著諸多飯菜的名字和價錢，最貴的也不超過二十塊。店裏有兩道招牌菜：醬牛肉和大腸蓋澆飯。⑲

「館兒」與「臉兒」都是兒化詞，都有共同的韻腳 ar。「塊」與「菜」相鄰押 ai 韻，「錢」與「飯」隔兩個音列押 an 韻。這 3 個韻雖然韻尾不一樣，卻有共同之處：主要元音都是 a。這樣，該語段超過半數的音列在末尾停頓時，末音節都含有同一種音色，這就使該語段的語音基調相對和諧而且具有共同的韻律美。

第 2 語段的 15 個音列中有 11 個音列不押韻，長音列不少。語段中部一連出現 3 個幾何長度相等的較短的音列，與它們前後的長音列構成形式和節奏的對比美。整個語段僅有 4 個音列末尾的「系」、「米」、「習」、「極」押 i 韻，「系」、「米」與「習」、「極」相隔 7 個音列，雖有前後映帶的音韻回環之美，但遠未構成整個語段的韻律美。

第 3 語段也是以長音列為主，13 個音列中有 4 個音列末尾的「系」、「意」、「意」、「系」押 i 韻，這一方面使語段的後半部份多少表現了音列間的和諧美，另一方面又與上語段同押 i 韻的音列相呼應，使上下兩個語段都迴盪著相同的韻元音色。本語段開

---

⑲ 甯財神《固態瞬間》，載榕樹下圖書工作室選編《2000 中國年度最佳網絡文學》，灕江出版社 2001 年 1 月版第 256－257 頁。

頭以頂真手法重複「年輕」這個語詞，語段結尾又以「金色童心」回應「年輕」，這在語義和語音兩方面都具有審美韻味。

第 4 語段有 7 個音列，是本篇最短、韻律最強的語段。7 個音列中有 6 個音列押韻，即：「人」與「本」押 en 韻；「係」、「記」、「體」、「跡」押 i 韻。en 與 i 相間為韻，構成了以 i 韻為主，en 韻為輔的韻律美。如果把這段文字列成梯隊，不知究竟是韻文還是散文：

> 煙煙是個與世無爭的人，
> 這與他看多了莊子有關係，
> 這廝經常寫讀書筆記，
> 厚厚一本，
> 我曾有幸瞧過一回，
> 密密麻麻的娟秀字體，
> 非常像是女同志的筆跡。

第 5 語段有 22 個音列，是本篇最長的語段。其中有 5 個音列的「吃（音 jī）」、「西」、「意」、「逼」、「逼」押 i 韻；有 3 個音列的「語」、「語」、「句」押 ü 韻。i、ü 也是相互間隔，而且間隔的音列較長較多，這就很難一氣貫通而形成有一定韻律節奏的樂音鏈。不過，由於押韻使長短參差的音列產生語音聯繫而變得和諧，間隔押韻也顯示了語音的交錯美。

第 6 語段有 14 個音列，其中有 7 個音列的「氣」、「皮」、「氣」、「力」、「及」、「意」、「異」押 i 韻，此韻從頭至尾，貫通整個語段，造成頗有感染力的韻律美。另有「攬」與「煙」遙相呼應，這只是主旋律之外的小小變奏而已。由於 an 是低元音且帶前鼻音的韻，在勢力強大的前高元音 i 構成的韻律之下，作為和聲使語段音色更顯富厚。

最後一個語段有 10 個音列。這個語段一方面以「裏」、「喜」押 i 韻，另一方面又以「伴」、「煙」押 an 韻，兩韻間隔相押構成交錯美，同時與上一語段的韻律相呼應。

此篇還以語段末字的押韻來強化語段之間的音韻聯繫，使全篇具有和諧的韻律美。具體說來，就是除了第 3 語段而外，第 1 語段末的「飯」和第 5 語段末的「亂」押 an 韻，第 2、4、6、7 語段末的「極」、「跡」、「異」、「喜」押 i 韻，彼此交錯間隔，構成以 i 韻為主旋律，以 an 韻為和聲的韻律美。通觀整篇文本，除第 1 語段之外的所有語段都有押 i 韻的音列，有兩個語段有押 an 韻的音列。音列層次上押韻的主要趨勢與語段層次的押韻情況一致，構成了通篇以 i 韻為主，以 an、ar、en、ü 為輔，既有主流韻律，又有其他分支韻伴奏的音律美。

第三章
網絡文學語言的文化審美

文化無處不在，網絡文學語言同樣反映了各種文化。各種文化通過網絡文學語言構成了文學文本的美學內涵，這種美學內涵是深層次的、需要加以發掘才能領悟的，但並非所有涉及文化的語詞或語句都有審美價值，《第一次的親密接觸》有這幾句話：

> 「痞子……我念外文……你呢？……」
> 「弟本布衣，就讀於水利……苟全成績於系上……不求聞達於網絡……」
> 「痞子……你幹嘛要學諸葛亮的《出師表》？
> 「我以為這樣會使我看起來好像比較有學問……」[1]

這段文字對人物性格的塑造不無作用，但很難說有多少美學意蘊。諸葛亮的《前出師表》具有悲壯美，而這裏卻將原文具有的美學意蘊消解，代之以戲謔性的模仿，以油腔滑調營造一種適合當代青年

[1] 蔡智恒《第一次的親密接觸》，知識出版社 1999 年 11 月版第 70－71 頁。

生活趣味的文本氛圍，這種修辭手段謂之「仿文」。仿文是一把雙刃劍，它既可能加深原文的內涵，也可能破壞原文的美學功能，有時甚至適得其反。還有「嘴在外，腦命有所不受」、「余豈好讚美哉……余不得已也……」，❷諸如此類，原文被解構，剩下的只有輕佻搞笑。網絡文學中此種情況已成風氣，這或許是網絡文學文本處於較低層次的原因之一。

但網絡文學文本中的確有的語詞、語句，甚至語段，展示了絢爛多彩的文化。不妨看看同一作者的同一文本中的這段文字：

> 美麗其實是一種很含糊的形容詞，因為美麗是有很多種的。
> 也許像冷若冰霜的小龍女；也許像清新脫俗的王語嫣。
> 也許像天真無邪的香香公主；也許像刁蠻任性的趙敏。
> 也許像聰慧狡黠的黃蓉；也許像情深義重的任盈盈。❸

每個女孩都有不同個性的美，每一種美都有其存在的特定環境。倘若不瞭解中國的漢族人的審美觀和社會文化心理，那就很難理解下文所說「但她都不像。幸好她都不像，所以她不是小說中的人物。她屬於現實的生活」。「她」是特定的「這一個」，猶如「小龍女」是《神雕俠女》中的「這一個」一樣。金庸小說多角度塑造出來的女性的不同的美，曹雪芹塑造的金陵十二釵，蒲松齡塑造的神鬼狐仙幾十種不同的女性美，都有不同的美學內涵。對美學內涵的

---

❷ 同上，91頁。
❸ 同上，65頁。

追尋和賞析，使文本因有藝術深度而具有審美價值。

網絡文學語言反映的文化現象是多元的，大致可以從三個方面加以探討：傳統文化審美；外來文化審美；文化比較審美。

第一節　傳統文化審美

中國的傳統文化包羅萬象，網絡文學語言反映的文化現象相對貧乏，這可能與網文作者的文化素質與網絡文學文本的題材有關。不過，中國傳統文化的幾個主要方面在網絡文學中都有所表現，這幾個主要的方面是：漢字文化；宗法文化；民俗文化；儒家文化；道家文化。

一、漢字文化

漢字不僅負載社會交際的語言信息，而且負載社會審美的文化信息。文化有不同的層次，對同一個漢字，文字學家與普通人的解釋就不一樣。早在一千多年前，東漢著名的文字學家許慎就曾批評當時有人「曰馬頭人為長，人持十為鬥，蟲者，屈中也」，❹這就表明普通人看漢字與文字學家看漢字文化視角不同。用不同文化視角觀照漢字，它的內涵也必然不同。就是這種許慎認為荒誕不經的俗文字學，居然成為後來長期影響中國人思惟方式的拆字文化的源頭。拆字的技巧和說解在宋代已達到相當高的水平，到清代出現了理論性的專著，它的整個思想體系助長了遠古以來的漢字崇拜觀

---

❹　〔漢〕許慎《說文解字》，中華書局1963年12月版第315頁。

念，與中國老百姓的吉凶禍福產生了密切關係，網絡文學文本有所反映也就不足為奇了。

鳳凰兒的網絡小說《過程》裏這樣寫著：

> 灼灼看《子夜吳歌》，對他說，原來從前女人叫情郎作「歡」，什麼「道歡不絕口」、「迎歡裁衣裳」，這歡字真漂亮，拆開可不是又欠（按：指簡化漢字「欢」）二字？你欠了我，我欠了你，怎麼也還不清，於是長長久久地好下去。她轉頭問陳平，你欠了我什麼呢？❺

所謂《子夜吳歌》，是宋代郭茂倩編撰的《樂府詩集》所收南朝吳聲歌曲裏的《子夜歌》。《子夜歌》共 42 首，《唐書 · 樂志》說：「《子夜歌》者，晉曲也。晉有女子名子夜造此聲，聲過哀苦。」就歌辭內容看，確實表現了女子的哀苦之心，如「自從別歡來，奩器了不開。頭亂不敢理，粉拂生黃衣」，又如「感歡初殷勤，歎子後遼落。打金側玳瑁，外豔裏懷薄」。然而「什麼『道歡不絕口』、『迎歡裁衣裳』」則子虛烏有，純屬作者創造。作者的匠心，不僅體現於自創歌辭，而且體現於對女主人公的命名，《子夜歌》有句云「夜長不得眠，明月何灼灼」，小說女主人公名灼灼，顯然暗喻其心地之光明如月，自創的歌辭則為加重渲染灼灼對陳平的摯愛之情，而灼灼「長久的失眠」，正是「夜長不得眠」的

---

❺ 鳳凰兒《過程》，載榕樹下圖書工作室選編《2002 中國年度最佳網絡文學》，灕江出版社 2003 年 1 月版第 68 頁。

注腳。灼灼的光明，反襯出陳平的陰暗。子夜吳歌的哀苦，灼灼全身心的投入，相隔一千多年的中國女性不僅境遇相似而且具有一脈相承的文化淵源！但如子夜姑娘似的哀苦，於灼灼已經麻木，用來注射的麻醉劑恰好是文化。

不拆為「欢」，拆開為「又欠」，這是灼灼的發明。按照構造漢字的原則，「欢」的繁體字為「歡」，是個从欠雚聲的形聲字，簡化為「欢」之後，它的聲符被替換為「又」，造字理據也就湮沒了。灼灼的發明並非率意而為，首先，她認為「歡」這個字之所以漂亮，是因為男女雙方互相欠債，為了償還彼此沒完沒了的債務，於是長長久久地好下去，其評價漢字美醜的標準完全是因果輪迴的佛教文化價值觀。換言之，男女相悅不是出於愛情，而是為了償還債務。這樣，陳平與小妖無論做了多麼出格的事，灼灼都可以隱忍，都可以超脫，因為說到底，陳平不過是與小妖結清另一筆債務，這筆債務既然同灼灼無干，灼灼又何必操心呢！而現實卻是血淋淋的，需要一種精神的支持才能戰勝它，灼灼選擇了佛教文化作為精神支柱。小說結尾這樣寫道：「她引導了他的成功，他成全了她的愛情。套用中國人習慣的說法，這叫做善終」，這種徒有軀殼的善終比起子夜的哀苦，孰輕孰重，難道不值得深長思之嗎？其次，漢字的分拆，從來就是一種強調現實功能的主觀行為。如果佛教文化可以算是麻醉劑之舶來品，則拆字文化可謂中國土產之麻醉品。清人周亮工的《字觸》有如下記述：「劉命熙祖父，居越有疾。劉在錢塘，延槎，寫一『豐』字，令占之。槎曰：『死矣！尚何占焉？』是晚訃音果至。異日叩其故，槎曰：『豐字之形，山者，墓所也；二丰者，墓上木也；豆者，祭器也。闕兆如此，庸非死乎？』」❻張乘槎認為劉命熙的祖父染疾必死，所以沒有占卜的必要。異日劉叩其故，張就把「豐」字分拆為幾個部分加以解釋，很明顯，把二手解釋為墓上的樹木，既缺乏文字學依據，也無形象上的相似性，完全是附會主觀看法。由此可見，灼灼把「欢」分拆為「又」、「欠」，同樣是受固有的文化觀念支配。她用欠來欠去麻醉自己，也希望能用這套理論約束陳平，至少讓陳平能在形式上維持她的愛情。灼灼比子夜姑娘的際遇似乎要好一些，子夜姑娘連形式上的愛情也沒能獲得。但用了一千年的時間，經過了若干次重大的社會變革，灼灼得到的所謂愛情，在實質上與子夜姑娘並沒有什麼兩樣，這又豈是「哀苦」二字所能形容！難怪作者用「她的一生首尾呼應，中間大段血淋淋的過程都被忽略掉」來加以概括。因此，「欢」的分拆，蘊含了一種笑著把血淋淋的人生撕開來給人看的悽慘美。

二、宗法文化

早在西周時期，中國社會就已實行嚴格的宗法制度，誠如嚴復在《社會通詮》譯序中所說，由唐虞以迄於周，中間二千年，皆封建之時代，而所謂宗法亦於此時最備。秦代以降，古典的宗法制度雖然逐步解體，但宗法觀念和以同一父系血緣關係為紐帶的宗族集團的存在，作為一種獨特的文化對中國的漢族人仍然有著廣泛而且深刻的影響。漢族人的名字就是宗法文化的一種表現，同一父系血

---

❻ 載洪丕謨編《中國古代十大預測奇書》，中州古籍出版社 1994 年 10 月版第 543 頁。

緣關係的人，通過名字中有嚴格次序的輩行代表字，來體現各個成員之間是縱向的前後相繼關係還是橫向的平行配合關係。晚清洋務派領袖張之洞規定 20 個輩行用字：「仁厚遵家法，忠良報國恩。通經為世用，明道守儒珍。」巴金族譜記載的李氏輩行用字是：「道堯國治，家慶澤長。勤修德業，世守書香。」❼有的輩行用字較多，如福建詔安秀篆鄉黃氏大宗祠所立昭穆詩：「元歆萬國定封疆，億庶超郡奕世昌。重義興仁崇政教，榮華富貴耀宗祊。昭明日月乾坤春，珠玉田財大發芳。為官拜相朝天子，金榜標名永代揚。」❽有的輩行用字則較少，如重慶永川張家鄉新屋基李氏輩行用字：「上大學之道，國正天心順。」一般輩行用字都採用近體詩或聯語形式，有的只是句式整齊，不一定講究對仗。專用於輩行命名的昭穆詩大都有一定的文化內涵，因而漢族人的名字大都有命名的文化淵源和理據，具有不同的審美意向。

田耳的網絡小說《姓田的樹們》敘述田銀寬叮囑其兒子副縣長田樹幟為田老反查找檔案的事，插入了如下一段情節描寫：

> 吃過了飯，田銀寬要樹幟到自家神龕上上一炷香。神龕上的對聯是很多年以前貼的，紙上劣製的紅染料已剝落殆盡。對聯對得很蹩腳，宋代曾授三公職明朝又封萬戶侯對聯裏側記了田氏這一宗脈的二十個字輩排位。左邊十個字是：仁洪祖

---

❼ 何曉明《姓名與中國文化》，人民出版社 2001 年 7 月版第 211－212 頁。

❽ 孔永松、李小平《客家宗族社會》，福建教育出版社 1995 年 10 月版第 56 頁。

> 中稷、天開運吉昌；右邊十個字是：銀樹正友德、亦啟紹思湘。
>
> 正位擺的是「文革」年間製的毛主席半身石膏像。像前面擺著一個裝滿大米的碗，碗中插有幾炷殘香。田銀寬從屋裏找來一把紙香，抽出幾根給樹幟樹培。兩人燃上以後稍微彎下去算是鞠了躬，把香插在米上。這木屋的板壁早就被煙火薰得沒了本色，在大太陽下都黯淡無光。❾

為田老反查檔案為什麼需要插入這段描寫呢？蔸頭是個有三百來戶田氏家族的村子，村民田老反名叫田銀愷，政府聘他做教員的檔案找不到，就不能發補貼費。這樣的事理應由負責具體工作的人員去處理，但卻要分管經濟的副縣長田樹幟、財政局局長田樹培等子侄輩家族成員一再督促嚴查才得到解決。不知道這是曾為教育事業辛勤耕耘的田銀愷的幸運呢，抑或是一種悲哀！這段描寫展現了田氏宗族的歷史淵源和榮耀，以字輩排位顯示了文化傳統的凝聚力，即使作為政府要員的樹幟樹培也得面對神龕燒香鞠躬。因為同一宗族，作為晚輩的樹幟樹培就必須對父輩的田老反盡力，而不是作為政府領導對村民負責。文本通過「剝落」、「蹩腳」、「殘香」、「黯淡無光」等語詞勾勒了一個古代宗法文化投射於當代農村的縮影，表現了一種蒼涼的意境美，這意境其實就是田銀寬的心境。田老反的問題久拖未決，田銀寬沒有其他辦法，只好借古老的神龕來

---

❾ 田耳《姓田的樹們》，載李尋歡主編《飛翔》，杭州出版社 2002 年 4 月版第 95 頁。

喚醒兒子的血緣意識。這一招果然有效，樹幟「感到了一種幸福和榮耀。他知道縣裏的人都說他們六人是一個小集團，民間還給了個約定俗成的稱呼，說他們是『田樹某某一黨子』。若是以前，就怕被扣上搞宗派主義的帽子，但現在，在這場面上就怕自己是勢單力薄的一個人。樹幟想，我們就是田樹某某一黨子」。❿田老反要靠宗族權力的支持才能領到補貼費，這已經不能說不是一種悲哀；田樹幟們不是因為作為黨和人民利益的代表，而是作為「田樹某某一黨子」感到幸福和榮耀，這是更為深痛的悲哀！作者不動聲色地把「在大太陽下都黯淡無光」的、「板壁早就被薰得沒了本色」的木屋裏的老古董晾開來，造成了濃重的歷史滄桑氛圍，透過滄桑亙古不變的是老祖宗傳下來的血緣關係，它顯現了陳舊的宗法文化賦予文本蒼涼的東方古典美。

三、民俗文化

俗話說：「千里不同風，百里不同俗」。特定地域的人群長期形成的習慣，沉澱為當地人群的心理定勢甚至轉化為信仰，那就成為約束人的意識行為的共同遵守的準則，而且形成了特定地域人群共同的審美標準。不同時代、不同民族、不同地域有不同的民俗文化，不同的民俗文化有不同的美，當然也就有不同的審美標準。網絡小說《緩緩流淌》有一段文字描寫婚俗：

> 四喜不是個事事隨俗的人，但是她很懂體恤老人家的心願，

---

❿　同上，第96頁。

> 這套習俗儘管她不提倡但肯定沒省。她一定穿著紅色套裙吧？出門時新娘不能穿鞋走路的她肯定也是被鄰家大嫂揹著出的吧？她脖子上肯定也掛著一把鏡子和一把梳子吧？長長的紅繩繫著的利市應該很多吧？她腮幫子的絨毛也肯定被三姑六婆用牙齒咬著白線扯乾淨了吧？胭脂呢？也塗了吧？不知四喜出門時會流淚麼？或許不會吧。⓫

這段文字表達了小說的男主人公伍北對女主人公四喜的懷念。四喜是一個忠於山區教育事業的人民教師，她的心裏沒有什麼比她的學生更重要，為此不惜放棄跟隨伍北去城市的機會。她紮根山區，把自己的生命，愛情和事業融合在一起，無怨無悔。她不是事事隨俗的人，但她既然決心對山區人民獻出自己的一生，伍北想像四喜按當地風俗辦婚事就應當是合乎情理的。文本以「紅色套裙」、「紅繩」、「胭脂」、「鏡子」、「梳子」與「鄰家大嫂」、「三姑六婆」等富有文化色彩的名物語詞，以及「穿著」、「揹著」、「掛著」、「繫著」、「咬著」等與當地婚俗密切相關的動詞，創造了一系列充滿醇厚民風的意象。新娘穿紅標誌著喜慶和幸福。江西婚俗，是由女父或胞兄弟，在哭聲中把新娘揹入花轎；浙江婚俗，則是由伯母或嬸母用椅子抬新娘上轎；四喜是由鄰家大嫂揹著出去，這是山區人民更重視鄰里感情的體現。城市新娘的陪嫁物品由過去的衣箱、床褥、蚊帳到如今愈變愈高檔，而四喜攜帶的不過是鏡子、梳子和繫著紅繩的利市，展現了山區人民的古樸和貧困。這是

⓫ Sanmu316《緩緩流淌》，載《2002中國年度最佳網絡文學》第110頁。

一幅帶有濃郁地域色彩的風俗畫，它表現的是一種單純的古樸美。透過畫面的古樸美，更為令人感動的是人性美，「鄰家大嫂」、「三姑六婆」對四喜的熱情關照是一方面；從精神層面豐富對女主人公人物性格的塑造是一個更重要的方面。女主人公犧牲個人利益、決心一輩子獻身山區教育事業的精神底蘊，通過富有山區特色婚俗的描述得到深層次的揭示。描述四喜婚事的這段文字所蘊含的人性美，在文本中可以找到注腳：

> 我說四喜，你來吧，我要你。
>
> 「我不能走，至少目前不能。很少老師願意調來這兒。我必須對他們負責。」
>
> 他們是指她的學生。
>
> 當她自認為是一座山時，她便揹負了山的沉重。
>
> 四喜是一名優秀的人民教師。
>
> 我愛四喜。我愛四喜的善良，隨和，奉獻和質樸，深沉地愛，痛苦地愛。可我卻無法命令自己掉頭圍繞四喜流淌。⓬

伍北所愛的四喜的那些優秀品質，都深深地蘊含於作者對山區古老質樸婚俗的描述中。對於受過現代文化薰陶的青年女知識份子能夠遵從古老風俗，為自己熱愛的山區人民和教育事業獻出青春，其精神的高尚和心靈的純潔，都是人性美的生動體現。

⓬　同上，第 111 頁。

四、儒家文化

儒家文化 2000 多年來對中國人尤其是漢族的知識階層影響深遠，網絡文學有較多的反映。有的網絡文本是直接引用或化用儒家經典語句；還有的網絡文本是借用典故或通過對人和事物的描寫來表現文人心態和儒家的價值取向、審美情趣。雨後虹的《月下青山湖》描繪了文人眼中月亮的不同的美：「我歌月徘徊，我舞月零亂」，月亮體現的是一種人格的孤傲美和灑脫美；「人有悲歡離合，月有陰晴圓缺，此事古難全。但願人長久，千里共嬋娟」，月亮體現的是一種圓滿美和人性的真善美；什麼都可以想，什麼都可以不想，看月光靜靜的瀉在一片葉子上和花上，月亮體現的是一種恬靜的幽雅美。⓭月亮所體現的這些不同的個性美，蘊含著中國文人不同的文化心理和審美價值取向，它們出現在網絡文學文本中，無疑給文本增添了文化解碼的難度和文化審美的多維度特徵。

南溟的《浮世物語四章》提到有關飲食文化的典故，而這典故又牽涉到文人：

> 唐代詩人李商隱在《贈鄭讜處士》詩中寫道：「越桂留烹張翰膾，蜀姜供煮陸機蓴。」張翰膾和陸機蓴一樣，是人們耳熟能詳的熟典。這條典故亦與蓴菜有關，常用的說法是「蓴

⓭ 雨後虹《月下青山湖》，載風吹佩蘭等著《一生最美一文·散文卷》，中國工人出版社 2002 年 1 月版第 177 頁。

羹鱸膾」。⓮

看到典故自然應瞭解有關典故的人物和情節，否則難以理解它所寄託的文化意蘊和審美取向。「蓴羹」就是蓴菜湯。據《晉書·陸機傳》的記載，陸機是東吳名將陸遜的孫子，老家在江南吳郡吳縣華亭，即今上海市松江一帶，這一帶盛產蓴菜。陸機到洛陽，王濟以膻膩的羊奶來誇耀中原的飲食之美，陸機則以讚美家鄉的蓴羹來回應王濟的挑釁。表面看來是對兩種不同食品的評價之爭，實際上是中原正統文化與東南邊陲文化的碰撞。「蓴羹」並不意味著思鄉而引退，正好相反，它象徵著一種邊陲文化上升為正統文化的渴望，確切地說，它代表著陸機謀求仕進，熱衷功名的政治理想。這正是儒家入世思想的外化。「鱸膾」即鱸魚肉。《世說新語·識鑒》載：「張季鷹辟齊王東曹掾，在洛見秋風起，因思吳中菰菜羹、鱸魚膾，曰：『人生貴得適意爾，何能羈宦數千里以要名爵！』遂命駕便歸。」文中的「菰菜羹」《晉書·張翰傳》作「菰菜、蓴羹」，而「蓴」是「蒓」的異體字，故「蓴羹」即「蒓羹」。「蓴羹」與「菰菜」、「鱸膾」雖說都是東南飲食佳品，但張翰並非真的把家鄉美味看得比功名仕進更重要。那末，如何理解張翰「人生貴得適意爾」的浩歎呢？文廷式《純常子枝語》說得很透徹：「季鷹真可謂明智矣。當亂世，唯名為大忌。既有四海之名而不知退，則雖善於防慮亦無益也。季鷹、彥先皆吳之大族。彥先知退，僅而

⓮ 南溟《浮世物語四章》，載陳村主編《人類兇猛》，花城出版社 2001 年 4 月版第 60 頁。

獲免。季鷹則鴻飛冥冥，豈世所能測其淺深哉？陸氏兄弟不知此義，而干沒不已，其淪胥以喪，非不幸也！」⑮同樣的「蓴羹」，在陸為進，在張為退，看來似乎矛盾的現象其精神實質卻毫無二致，區別僅在於對時空條件把握的分寸不一樣。其文化淵源就是《孟子·盡心上》的這句話：「古之人，得志澤加於民，不得志修身見於世；窮則獨善其身，達則兼善天下」。陸、張皆為江南望族，然處亂世，陸以仕進見殺，張以勇退全身，這樣，「張翰膾」、「陸機蓴」表現的就不只是江南的飲食文化，而是蘊含於深層的儒家文化精神。在「蓴羹鱸膾」所顯示的江南秋爽的恬淡美之中，寄託了古代文人修身、齊家、治國、平天下的政治理想。「蓴羹」作為食品的清純和作為文化的進取，兼具內斂的陰柔美與外放的陽剛美；「鱸膾」則更多地表現了有志文人不能實現自己的政治抱負，不得不明哲保身，寄情山水魚鳥的惆悵之情、悲愴之美。

五、道家文化

道家文化的起源，可以追溯到黃帝時期。春秋時期老子著《道德經》，形成了道家的系統思想，莊周進一步豐富和發展了道家學說，於是老子和莊子被公認為道家學派的創始人。道家思想在中國文化中的地位雖不及儒家與東漢時由印度傳入中土的佛教，但對中國人的觀念思惟和行為方式仍具有不可忽視的影響。老莊主張道法自然，物我無別，無為而治，高揚個性的觀點，也潛移默化，成為中國傳統文學審美價值取向的重要因素之一。有的文學文本明顯地

---

⑮ 余嘉錫《世說新語箋疏》，中華書局1983年8月版第395頁。

留下了道家思想的烙印，如李白的「我本楚狂人，鳳歌笑孔丘」、「五嶽尋仙不辭遠，一生好入名山遊」、「安能摧眉折腰事權貴，使我不得開心顏」；歐陽修的「歸來恰似遼東鶴」、「一片瓊田，誰羡驂鸞，人在舟中便是仙」；蘇軾的「挾飛仙以遨遊，抱明月而長終」、「自其不變者而觀之，則物與我皆無盡也」；陸游的「斟殘玉瀣行穿竹，倦罷黃庭臥看山」；辛棄疾的「記當年，嚇腐鼠，歎冥鴻」、「休說須彌芥子，看取鯤鵬斥鴳，小大若為同」等等，都體現了道家文化的審美價值取向。不少網絡文學文本中所流露的空虛落寞、遊戲人生的思想傾向，很難說不是道家文化的消極表現；而那些崇尚自然，重視情感，追求個性自由的審美情趣，正是道家精神在網絡文本中的積極體現。《寫在白駒過隙間》有段文字：

> 那時，我應該死了，什麼都不重要了。我不必理會別人惡意的中傷，不必用心地準備明天的新課。我不存在了，一切有關我的，都煙消雲散了。把我心愛的書架，送給水吧；珍藏的書呢？送給小憶吧……整個宇宙中，我只是一個點，一個微不足道的小點……
>
> 死亡的感覺是不是真的是這樣？有時真想試試。可我不敢。不是膽小，而是我記起了自己的責任。[16]

---

[16] 南柯無夢《寫在白駒過隙間》，載《2002 中國年度最佳網絡文學》第 298 頁。

「整個宇宙中，我只是一個點」，這話與《莊子·秋水》的「吾在天地之間，猶小石小木之在大山也」何其相似！個人在宇宙中確是微不足道的，但能看破生死，卻不容易。莊子妻死，惠子弔之，見莊子居然箕踞鼓盆而歌。原因很簡單，莊子認為人的生死猶如春夏秋冬四季更替，沒什麼好悲傷的。文本中的「我」對莊子的生死觀頗為欣賞（這有後文為證，此不贅舉），因而對死並不懼怕。值得肯定的是「我」沒有消極地順應自然，卻能積極地面對人生，把心愛的書架、珍藏的書送給友人，蘊含著遺惠於人的愛心，表現了純真的人性美。更令人感動的是，「我」一反莊子對生命所抱的自然主義態度，認為人既然生活於世就應當盡責，「如果你能活下去，但你卻選擇了死亡，那麼，這是逃避現實和不負責任。其實生活可以多姿多彩，它取決於你對生命的態度。要知道，生活對歡笑的人歡笑。」⓱這就把生死等同而無所作為的自然觀，改換成了熱愛生命、珍惜生命而樂觀向上的人生觀，在文本字裏行間滲出的絲絲悲涼之中，不難體察到這種埋藏在心靈深處的崇高美。可見網文作者並非不加分析地一味繼承傳統文化，而是有所揚棄，有所創造，有所進步。

⓱ 同⓰，第 299 頁。

第二節　外來文化審美

一、佛教文化

網絡文學語言反映的外來文化，最常見的莫過於佛教文化。這是因為佛教於漢明帝永平十年自印度傳入中國以來，它與中國本土的文化相互碰撞磨合，歷經一千九百餘年的創造發展，已成為中國文化系統的重要構成部份。在這個意義上，若把中國佛教視為傳統文化也並不過份。佛教理論是一個完整的哲學思想體系，佛教教義也蘊含有積極的精神，但網絡文學文本反映的大都是一些斷章取義的名詞術語，或者因果輪回的警世之說，談不上有多少思想深度或審美價值。不過，裸孩的網絡小說《畜生》卻別有新意，當日本軍官詢問至性禪師「如何成佛」時：

> 「成佛的道路千千萬萬，但其中有一條，那就是『放下屠刀，立地成佛』！施主悟過沒有？」至性猛地睜開眼。
> 福根瞥見那軍官臉頰肌肉動了一下，笑容漸漸退去：「禪師，屠刀也可超度眾生啊！讓劣等的人西天極樂，讓優等的人在世間建造一片淨土，兩全其美呀！」
> 「施主，恕老衲不客氣，你魔障太重了！」至性直盯著那軍官，「我佛慈悲，眾生皆有佛性，哪有優劣之分！佛說的西天地獄，皆在人間。人性光大的地方便是西天極樂，獸性氾

濫的地方便是人間地獄！施主若再執迷，終有果報！」⓲

佛教認為有六道，即天、人、修羅、畜、鬼、地獄。畜、鬼、地獄謂之三惡道。六道眾生，生死輪回，今世為惡，來生必墜惡道。欲來生保持人身，則須遵守五戒，第一戒為不殺生，故至性以佛教成語告誡侵略者。該成語源出宋代普濟禪師所編《五燈會元·東山覺禪師》「廣額正是個殺人不眨眼底漢，颺下屠刀，立地成佛」，宋代理學家朱熹的《朱子語類》卷三十易一字為「放下屠刀，立地成佛」。要侵略者不殺人，無異於勸狼不吃肉。然而這樣警策之語出自與世無爭的佛門修行者之口，頓生凜然之正氣，人物情感愛憎分明，人物個性鮮明凸出。佛教的戒殺勸善，在特定文本環境中成為抵禦外侮、保家衛國的同義詞，既表現了人性的真善美，又顯示了人物性格的沉毅美。面對日本軍官所謂「屠刀也可超度眾生」的謬論，至性以眾生平等無分優劣的教義予以回擊，且進一步以因果報應對侵略者提出警告，其潛臺詞是：嗜血者必付出血的代價！這樣，佛教教義在文本設定的環境中成為國家民族生死存亡關頭對敵鬥爭的思想武器，這就使「佛」、「悟」、「魔障」、「佛性」、「西天」、「地獄」、「執迷」、「果報」等佛教語詞都被賦予了嶄新的含義，從而深化了文本的文化內涵，表現了一個普通的中國人在外國侵略者的武力威脅下，沉毅勇敢，大義凜然的英雄氣概和人格美。

⓲ 裸孩《畜生》，載榕樹下圖書工作室選編《2001 中國年度最佳網絡文學》，灕江出版社 2002 年 1 月版第 89 頁。

二、基督教文化

與佛教、伊斯蘭教並稱為世界三大宗教的基督教，曾於唐初傳入中國，後又於元、明、清三代陸續在中國傳播。網絡文學文本中常見到「上帝」、「耶穌基督」、「聖經」之類的語詞，有的文本甚至抄錄聖經的漢語譯文，如《愛情和生活無關》裏的女主人公就很留心《舊約》裏的一段話：「最初，女人只是一頭負重的牲口，她屬於虜獲她的那個男人，她為他耕田，照料家畜，生育子女，給他做飯，使他安適，而她得到的僅是一點剩飯……」⓳但是這樣的文字缺乏文化內涵，也沒有什麼美感。因此，網絡文學文本中如下一段文字是頗為難得的：

> 在法蘭克福街頭散步的時候，教堂的鐘聲清純亮麗地響了起來，悠遠而肅穆，像是來自蒼穹，又像是走向大海，我們滿身、滿耳、滿眼都是鐘聲，當……當……當……鋪天蓋地，漸行漸遠，鏗鏘的鐘聲與一波未平一波又起的嗡嗡餘韻互為映襯，這鐘聲裏，有愛戀和關懷，有雍容與悲戚，多日來的疲勞與緊張，隨著這悠揚的鐘聲而化解而飛去。剩下的是一種喜、悲、愛、愧都不自勝的心情。⓴

這段文字裏沒有枯燥的說教，也沒有聖經故事的敘述，卻讓人感受

⓳ 甯安碎碎《愛情和生活無關》，載榕樹下全球中文原創作品網編《一個人不如兩個人》，上海文化出版社 2002 年 4 月第 135 頁。

⓴ 白撞雨《萊茵河的濤聲》，載《人類兇猛》第 112 頁。

到富有韻味的美和動人心魄的文化魅力。不論是否信奉上帝，只要聽到鐘聲的清純亮麗、悠遠肅穆、鏗鏘悅耳、鋪天蓋地，都會體會到自然的宏大美與震撼心靈的雄渾美。一波未平一波又起的鐘聲，似乎在訴說世道的坎坷，世界的永恆；漸行漸遠的鐘聲，又似乎在歎息人生的倏忽，人世的悲戚。同樣的鐘聲不同的人各有自己獨特的感受，此文作者並非基督教徒，但也感動於鐘聲的悠久而慚愧於自己的匆促，感動於鐘聲的慷慨而反省於自己的渺小，感動於鐘聲的純潔而油然產生接受精神洗禮的渴望，感動於鍾鳴的深遠而更急切於告別那些無聊的人和事。黃鍾大呂般的鐘聲，其實是在宣告一種文化的莊嚴和悠久，召喚人們在塵世的紛爭和忙碌中回歸心靈的淨土，因此，文本不需要宣傳基督教義，自會引起人們對自然的嚮往，對鐘聲的敬仰，對生命意義的追問，對心靈淨化的自覺。這就是文化的力量。

三、文學藝術

外國文學文本中有許多文學語言具有豐富的文化內涵，有的名著中的人物形象由於具有世界認同的典型性而膾炙人口，如哈姆雷特、葛朗台、羅密歐與茱麗葉、于連、保爾·柯察金等等，這類人名由於文化積累的深厚已成為一定文化的表徵。網絡文學文本對外來文化有不同程度的反映和表現。周國文的《荒誕》有段文字：

> 走過荒誕，走過野蠻，走過蒙昧，這大概是人類成長的必經之路。所有被遺忘的，所有被埋葬的，都將迎來新生的喜

悅，鳳凰涅槃的榮耀。[21]

文中的「鳳凰」雖然是漢語固有的語詞，但語義和文化指向卻大不一樣。「鳳」這個漢字在商代晚期的甲骨文裏已經出現，「凰」又寫作「皇」，在周末銅器銘文中出現。中國最早的詞典《爾雅》把鳳與皇作為雄雌相配。東漢許慎《說文解字》認為鳳是吉祥的神鳥，五色備舉，出於東方君子之國，見則天下大安寧。從文本環境看，這「鳳凰」前有「新生」，後連「涅槃」，沒有吉祥安寧的文化指向。而由梵語音譯的「涅槃」，指佛教徒通過長期修煉達到熄滅一切煩惱和圓滿清淨功德的境界，可見「鳳凰」應當有另外的文化內涵。文中的「鳳凰」英文作 phoenix，指埃及神話中阿拉伯沙漠裏的長生鳥，又稱為不死鳥。其鳥活到 500 年即銜香木作巢，唱支輓歌，鼓動翅膀搧起火焰把自己燒成灰，然後從灰燼中飛出獲得新生，因而「鳳凰」一詞有「再生」、「復活」的含義，而且蘊含有歷盡磨難，奮鬥不已，生生不息，獲得昇華的文化寓意。郭沫若的《鳳凰涅槃》一詩就曾化用此意。文中的「荒誕」、「野蠻」和「蒙昧」，是對我們曾經走過的一段彎路的反思，也是我們事業重新獲得新生和榮耀付出的慘重代價，因此，整段文字不免散發著令人歎息的悲壯美。但這並不意味著沉寂，作者呼喊：「面對廢墟，我們想到了無邊無涯的荒誕，想到了光明背後曾經遭遇的黑暗，但荒誕終究在航行波浪中被甩到了歷史的舊紙堆中去。那麼，讓荒誕

[21] 周國文《荒誕》，載《人類兇猛》第 83 頁。

化為灰燼吧！」㉒這就使古老神話在文本中獲得了新的文化內涵，表現了中國人民為實現宏偉理想而不怕挫折、頑強奮鬥的堅定信心和豪邁情懷。

網絡小說《凡高的耳朵》的開頭與結尾借荷蘭畫家凡·高名作《向日葵》裏花朵顏色的對比，揭示了同一種外來文化在不同文本環境中所展現的不同的美。小說開頭這樣寫道：

> 夏日的陽光，照在大街上，照在大街上的建築物上，照在光著膀子拉車的男人的裸背上，照在穿著露臍衫女人的胳膊上，讓我看到了凡高向日葵裏的顏色。㉓

凡·高是後期印象派的代表性畫家，擅長運用響亮的色調、躍動的線條、凸起的色塊形成強烈的印象，表達其激烈的情緒和主觀感受。他的畫風為後來的野獸派表現派畫家所取法，近年來不少中國青年也熱衷於凡·高的畫風。網文作者以藝術的審美眼光觀照現實生活，熱情歌頌陽光普照下的建築物和男女人體，整段文字不直接描寫色彩，卻在我們的眼前展開了一幅佈滿金黃色塊，躍動著金黃色線條的充滿光明的閃亮油畫。這就是凡·高油畫《向日葵》裏的顏色，它是一種充滿自信充滿理想的心靈美與自然美相互交融的藝術美。但這還沒有完全發掘出這段文字的深層意蘊，接下來對現實

㉒ 同上。

㉓ 潘無依《凡高的耳朵》，載陳村主編《貓城故事》，花城出版社 2001 年 4 月版第 27 頁。

生活中到處彌漫的金黃色的描繪：被染料塗成金黃的鹹菜、教授牙齒上的顏色、飯店火鍋裏湯的顏色……，這就迫使人不能不思考：《向日葵》的顏色在現實生活中是否變質了？為了追尋文本的深層意蘊，讓我們來看看小說的結尾：

> 天氣依然晴朗，但是陽光並非是檸檬黃的顏色，大多還是偏向於橙色，還有淡紫色。我推開畫室的木門，一股腐爛的氣味就鑽入鼻孔。牆上掛著的向日葵都已萎去，掛在牆上的凡高自畫像已經掉在了地上，佈滿了灰塵。
>
> 惟獨花瓶裏的塑料向日葵正在向陽開放，而且開得很燦爛。㉔

同樣明亮的陽光，已不再使城市變成一片金黃色，向日葵已經枯萎，凡·高自畫像已經掉到地上，畫室佈滿灰塵，充滿了腐爛的氣味，所有的景象像一塊破舊的畫布，布上的顏料發黴變色，暗淡無光，喪失了生命的氣息。這段文字雖然描繪出了陽光不同的色調，但是我們感覺不到陽光，沒有光明、沒有理想、沒有生命的渴望，它表現了一種冷漠、哀傷到絕望的悲劇美，與小說開頭充滿熱情描繪的城市建築和人體的自然美構成鮮明對比。陽光的金黃色是女主人公的主觀感受，是她所追求的理想美的具體體現，就如《向日葵》的金黃色是凡·高的個人激情和理想美的化身一樣。但是，當她以主觀的理想的眼光去觀照、去親自體驗社會現實之後，才驀然發現，原來陽光是多色調的，並非如她所理想的那樣單純，那樣亮麗，那

㉔　潘無依《凡高的耳朵》第 37 頁。

樣充滿激情。每個人的理想是不同的，每個人的人生際遇也不盡相同，不能因為個人生活的挫折而輕易放棄理想，放棄光明，更不能因為陽光不是金黃色而否定凡·高的向日葵，否定他人對美的理想和追求。同樣是凡·高的向日葵，它對熱愛生活、不怕挫折的人展露笑臉；而對於不敢面對生活挫折的人，最可怕的不只是向日葵的枯萎，而是人心的枯萎。這就是一種文化現象的兩種啟示。如果把一種文化移植到另一塊土地上沒有取得預期的效果，難道只能歸咎於文化？如果只有塑料向日葵開放，那這個世界還能有希望嗎？

第三節　文化比較審美

一、文化移植比較

網絡文學涉及異質文化比較的文本不多，在有關文化比較的語段中，主要表現的是異質文化的碰撞。在芝加哥的唐人街，被四面八方的摩天大樓包圍俯瞰下的中國建築物和漢字意味著什麼？《*TAKE ME TO CHICAGO*》有如下的描述：

> 街口有古色古香的牌坊，上面是莊肅端方的四個楷體大字（印象中是燙了金的），內容好像是「禮義廉恥」。走過它的時候心中暗想，這也許並不僅僅是一種標榜，而同時是一種堅持？㉕

㉕　瞎子《*TAKE ME TO CHICAGO*》，載《一生最美一文·散文卷》第232頁、第234頁。

牌坊是中國古建築的獨創，漢字是中國人的發明，這兩大特色可以說是中國文化的象徵。牌坊上的楷書「禮義廉恥」不僅是儒家文化的表徵，而且是中國人幾千年來的道德觀與思想行為準則，它已深深浸入中國人的潛意識。《聊齋志異·考弊司》裏的考弊司府堂下東西兩碣大書：孝弟忠信；禮義廉恥。如此觀念及於陰司，可見其根柢之深厚，但它一旦移植到新的環境中，將會有怎樣的前景，這就不能不令人深長思之。文本選取典型物象展示了中國文化的古典美，借助牌坊上莊肅端方的燙金楷書，時時從中國人的潛意識裏喚起對人生應負的道德責任，同時讓所有的中國人回顧往日的輝煌，讓他們時時想起他們來自有三千年文化史的禮義之邦。也正是因為這一點，文本不免多少透露了一些蒼涼，這種蒼涼一方面來自遠離故土的主觀感受，另一方面來自異質文化的強大壓力。因此，作者「雖然時時看見傳統的雕樑畫棟卻並不覺得協調，在寸土寸金的地方，總是不可避免地要顯露出侷促和寒磣」。強勢文化與弱勢文化在相互接觸的過程中，不可能有真正的平等，唐人街的文化景觀與其說是「一種堅持」，毋寧說是代表一種抗爭的精神，當東方的中國古典美深深打動人心的同時，不難感受到蘊含於其中的堅韌奮發的民族精神。三千年的文化是一種精神財富，同時也是一種精神負擔，這種內在的壓力與現實的反差編織成一種複雜的心理感受：

> 在以後的旅程中，我一直處於略顯陰鬱的沉靜狀態，也許可以歸咎於天氣，也許歸咎於灰暗的建築外表。即便置身於103 層的 SEARSTOWER，俯瞰全芝加哥的燈火的時候，也並沒有如何激動。事實上，那些綿延沒有盡頭的燈火是非常

> 壯觀的，公路上汽車遊動的燈光可以說是流光溢彩，相形之下，在上海東方明珠上看到的景色就有些小家子氣了。[26]

這段文字中的「陰鬱」、「沉靜」、「灰暗」表現了一個現代中國人的失落感。文本通過「103 層」、「沒有盡頭」、「非常壯觀」、「流光溢彩」等語詞，勾畫出了一個典型的現代文明大都市的形象。這一恢宏壯觀的形象一方面與唐人街、與東方都市上海，構成文化反差；另一方面，流光溢彩的異國景觀又與陰鬱的心態形成鮮明對比。兩廂比較更加顯示了兩種文化從心理到現實的不同特徵，讓我們體察到一種人世滄桑的感慨與字裏行間不經意流露的蒼涼之美。

二、文化習慣比較

中國人的文化習慣正在發生變化，尤其是近 20 年來，在年輕一代與上輩人之間，由於文化習慣改變而鑒定美與醜的標準也不盡相同，有時正好相反，例如年輕姑娘穿露臍衫以為時髦，而長輩們卻嗤之以鼻。慕容非花在《小王子、哈利·波特和指環王》一文中尖銳地指出：聖·德克旭貝里肯定沒有想到，他的《小王子》剛登陸中國的時候冷冷清清，卻在出版發行 20 年後的今天，在中國熱了起來，成為許多年輕人的至愛，而中國優秀的古典和現代文學名著在書店裏不斷打折也賣不出去。這表明在短短 20 年間，年輕一代對民族傳統文化的失落與對西方文化的認同導致了審美價值觀的

---

[26] 同上。

改變。慕容非花以如下一段文字作為文章結尾：

> 忽然想到，若是將《紅樓夢》中的擺設服飾吃食，全像《指環王》那樣，一樁樁一件件分毫不差地定做出來，不知該是如何的精彩了。只是這又表達得太明白，不合中國人的習慣，最好的還是不做卻有做的效果，忠於原著的感覺而不是細枝末節。小王子最終回到了自己的星球，哈利·波特拿到了魔法石，佛都握著指環踏上漫漫征途，而我情願像千年前的尾生那樣，默默守候我們文化復興的曙光——
> 火來，我在火中等你；水來，我在水中等你。[27]

西方人的情感比中國人更明朗更外化，《指環王》的末尾，佛都與森姆在小船上擁抱流淚，森姆對佛都說「我永不離開你」。《史記·刺客列傳》記荊軻刺秦王，臨行，其友高漸離擊築，荊軻和而歌，於是荊軻就車而去，終已不顧。死別關頭，好友之間無一語。《紅樓夢》第一百二十回敘寶玉拜別其父賈政，只不言語，似喜似悲。生離之際，父子之間無一言。人非草木，孰能無情？只是千言萬語都蘊藏於心，沒有直白而已。如果真的把《紅樓夢》中的擺設服飾吃食，像《指環王》那樣把一千多件武器道具一一訂做出來，那就不是中國人的《紅樓夢》，而是西方人的了。所以作者認為，中國人的情感是含蓄矜持內斂的，含蓄中自有一種固執的堅持。因

---

[27] 慕容非花《小王子、哈利·波特和指環王》，載《2002 中國年度最佳網絡文學》第 290 頁。

這固執的含蓄，中國人的情感具有只可意會難以言傳的深沉美。由於情感內斂不外露，重在意會領悟，中國人審美往往習慣於尋找感覺而不重視具體細節，這就自然形成重神略形的審美特徵。文本以中國古老傳說中尾生寧可淹死也不失約的故事為喻，表達了作者對傳統文化復興的堅定信心。尤其是文末的警句，從形式到內容都傳達了整肅深沉的美感，「水」、「火」二字，一語道破傳統文化面臨的殘酷現實，透露了深重的憂慮和危機感。而以尾生這個傳統道德捍衛者作為文化復興的旗幟，對寧肯花 600 元錢買一把哈利·波特騎過的掃帚的孩子們究竟能有多少號召力，實在顯得蒼白。儘管如此，文本仍然成功地塑造了「我」這個敢於為傳統文化赴湯蹈火的英雄形象，並為這一形象營造了濃郁的悲壯美氛圍，使更多的人受到文本的感染，從而把個人的憂慮昇華為整個民族的責任。

三、文化特色比較

所謂西方文化其實是個籠統的概念，在西方，不同的國家或民族幾乎都有自己的文化特色。《萊茵河的濤聲》裏有對歐洲各國文化風情的生動描繪，先看下面一段文字：

> 黑森林是德意志的心。遠遠解讀黑森林，永遠讀不透它個性的奧秘！就像黑森林裏走出了格林兄弟優美的童話，謊言大王「明希豪森」也誕生在黑森林一樣，童話般的黑森林永遠是矛盾的。謎一般的黑森林永遠在製造著童話。㉘

㉘ 同上，第 108 頁。

這段文字以「黑森林」、「奧秘」、「童話」、「謎」等語詞構成了酷似童話世界的意象，充滿了童話般奇幻莫測的神秘美。「黑森林」是德意志獨特文化的表徵，德國有 4 種硬幣上的圖案與樹木有關，橡樹是德國的國樹，人就像樹，成片的樹便是森林，成群的人匯聚為民族。蒼鬱深沉的冷杉，鬼斧神工的峽谷，湍急奔湧的溪流，飛瀉不羈的瀑布，構成了黑森林的神秘深沉，勾勒出日爾曼民族的個性。黑森林孕育了黑格爾、康得、叔本華，他們賦予德意志理性的人文精神；黑森林裏走出了海涅、歌德、席勒，還有貝多芬、巴赫和舒伯特，他們使德意志閃耀著藝術的光輝。黑森林理性和睿智的反面是冷峻和狂熱，從第二帝國的鐵血首相俾斯麥到戰爭狂人希特勒，從巴伐利亞的十月節、慕尼黑的啤酒節、科隆的狂歡節到被視為民族之魂的足球賽，都表明黑森林有著慓悍和躍動的個性。「黑森林」的深層是文化的奧秘，這個奧秘就像格林兄弟的童話那樣充滿幻想，充滿深情，它是那樣地優美，那樣地迷人！如果拉斯伯筆下的明希豪森不發奇想，那就一定不是真正的黑森林。解讀黑森林這個謎，本身就是一種朦朧美，何況黑森林是集多種美學特徵於一身的德意志文化的象徵呢！

同樣是描述歐洲的文化之邦，作者的著眼點卻不一樣：

> 我覺得，體驗法蘭西，最好到塞納河上泛舟，抑或在河畔漫步，以便驗證一個作家的描述：當陽光灑在塞納河上時，法國人是怎樣地歡呼雀躍，奔向陽光，把生命的激情盡情地釋放！在烏雲與陣雨中我們在遊船上走到巴黎聖母院一側時，那高貴的陽光竟然灑滿了塞納河，此時，我們與兩岸的行人

互相招手致意，人們的感情不因膚色和語言的差別，完全的融在了一起。這時，你也就感受到了那個作家的描述，也就理解了法蘭西的浪漫精神。㉙

塞納河上的太陽雨展示了一種變幻莫測的神奇美，她不像德意志的黑森林總是在神奇中隱藏著深沉和奥秘，相反卻是熱情開朗，華麗寬容，一如灑滿河面的燦爛的陽光。塞納河是一條閃耀著絢爛的文化光芒的河，拉辛與莫里哀，伏爾泰、狄德羅與司湯達、雨果，悲劇與喜劇，冷靜與激情，都使得這條河瞬息萬變、流光溢彩。塞納河又是一條充滿浪漫精神的華麗的河，巴黎的 T 形台，香舍麗榭大街的風光，莫埃牌香檳的至尊，是雍容華貴、浪漫瀟灑的民族個性的象徵。埃菲爾鐵塔、凱旋門、巴黎聖母院、凡爾賽宮、盧浮宮，吸引了全世界的目光，它們給法蘭西文化的浪漫增添了博大與矜持。塞納河像一個善於憧憬的青年，又像一個收藏豐富的老人，當法國人歡呼雀躍，奔向陽光時，展現了法蘭西民族爽朗浪漫的天然美；當人們互相招手致意，感情不因膚色和語言的差別而相融的時候，法蘭西民族的博大與包容令人感受到塞納河文化的蘊藉美。塞納河與黑森林都是歐洲文化的明珠，但塞納河給人的是華貴神奇、絢爛多彩的流動美，而黑森林給人的卻是神秘冷峻、撲朔迷離的深沉美。文化個性的差異體現了不同的審美特徵。

㉙ 同上，第 122－123 頁。

第四章
網絡文學語言的藝術審美

以百萬為計量單位的網絡文學文本沒那麼多時間瀏覽，但自1999 年以來從網上精選下來的各種正式出版物已差不多讀過，最後不得不很遺憾地發出感歎：具有藝術魅力的文本太少了！就這些多少具有藝術魅力的文本的整體狀況而言，也還未發現真正有獨創性的藝術表現手段。目前的網絡文本基本上與紙介文本是一回事，並沒有顯示出它在藝術表現手法或審美層次上超過紙介文本的亮點。如果在網上閱讀一篇文章，可以同時聽到伴隨情節展開的音樂旋律，可以同時看到補充或深化文本內容的動態畫面，可以隨機鏈結到與文本內容相關的另一文本，這就把平面文本變為立體文本，其藝術魅力當然會因表現手法的變革而大大增強。但依靠多媒體重新包裝文本已經不是靠文本自身的藝術魅力吸引人感動人，如果離開了多媒體便只是乾巴巴的網絡符號，那麼講究藝術功力的錘煉就應當是網文作者義不容辭的責任。

當然這並不意味著網絡文學語言毫無亮點可言，就網文作者的非專業性而言，藝術素質的提高絕非朝夕之功，不可能一蹴而就；就目前網絡文本的藝術含量而言，有的文本應當說已達到一定藝術水平，需要加以正面引導，為網絡文本樹立範例，推動網絡文學良性發展。網絡文學語言的藝術審美大致體現於三個層次：語詞，語段，篇章。

第一節　語詞藝術審美

網絡文學語詞運用的藝術性主要體現在兩個方面：一是色彩詞，二是修辭創新。

一、色彩詞

色彩詞指文本中用來描繪色彩的詞語，這些詞語可分為兩類：一類是詞語本身含有色彩意義；另一類是詞語本身不含色彩意義，但由詞語所指的事物可以聯想到色彩。

李伯牙的《網友》有段文字運用了「紅」、「金色」與「黑」這三個色彩詞：

> 我和子期從網吧出來的時候，太陽正紅，金色的陽光漫灑全城。我們走在大街上，踩著自己的影子，不說一句話。經過公園門口，子期又朝門口左邊第三棵法桐望了望，法桐在那裏投下了一大片黑的陰影。而那個算命人還是老樣子，木然坐在陽光裏。[1]

---

[1] 李伯牙《網友》，載陳思和主編《2001 年中國最佳網絡寫作》，春風文藝出版社 2002 年 1 月版第 15 頁。

「紅」、「金色」是文本中「我」對太陽和陽光的視覺感受，「紅」與「金色」構成了這段文本的基本色調，這一光明的色調是客觀環境在作者筆下的藝術再現。因此，「紅」與「金色」就不是自然主義地反映客觀真實，而是體現了作者的藝術動機：以「漫灑全城」的大片暖色與法桐投下的「一大片黑的陰影」作對比。所謂「一大片黑的陰影」與「漫灑全城」的金色陽光比起來，其實「黑」就那麼一點點，這就凸現了黑與紅、金色兩類不同冷暖色調的懸殊差別，從而造成了具有強烈視覺形象的藝術畫面，這就是色彩詞在揭示人物情感方面值得引起注意的藝術功能。具體說來，就是表現子期悲傷欲絕的失望心情，不用直筆，不用比喻，只是以局外人的冷漠眼光，寫紅太陽，寫金色陽光，寫黑的陰影，於人物情感不著一字，而讓人體味到子期內心壓抑的陰霾，其中的關鍵字就是「黑」。為了強調黑的程度，除了用「一大片」而外，主要借助對太陽、對陽光的著力描寫來反襯人物內心情感的暗淡。太陽愈紅，陽光愈燦爛，則這「黑」就愈獨特，愈能引人思考。越是陽光漫灑全城，這黑的陰影就越引人注目。越是以貌似客觀的、冷漠的筆觸展現人物活動，對人物情感的剖析就越貼切，越深刻。這樣，文本所展示的是兩個層次的藝術畫面：表層是由大片的暖色調與極少的冷色調構成的對比強烈的人物生活藝術圖景；深層是在紅火的太陽照耀下的光明世界與子期的暗淡心理並存的人物情感藝術圖景。把這兩個層次聯為整體的藝術紐帶，就是「紅」、「金色」、「黑」這三個色彩詞，其中起關鍵作用的是「黑」的語義內涵。

「黑」的語義除了色彩學含義及引申意義而外，還有文化義。黑色在中國古代是代表北方之神的色相，是一種莊嚴的顏色。晉文公重耳去世未葬，其子襄公用兵，把喪服染成黑色，從此黑色就與憂傷、死亡產生了聯繫。子期深愛網友雨晴，並約她到公園門口左邊第三棵法桐樹下相見，但雨晴並未出現，這使子期憂傷至極，「法桐在那裏投下一大片黑色的陰影」其實隱藏著文化密碼，只有瞭解黑色與憂傷的文化淵源，才能進入作者創造的藝術世界，也才能悟透色彩構築的生活圖景其實就是人物內心情感的藝術表達。

色彩詞不僅可以藝術地揭示含蓄的情感，而且可以藝術地表示主觀評價。下面這段文字看似客觀敘事，但只要分析一下色彩詞的語義內涵，就一定會有新的發現：

> 陽光很好的中午，火車來了。我站在路軌下邊看見黑色火車越變越大，空氣被擠壓得抖起來。一個老太太，背有點彎，走上鐵軌，看看火車，又想往回走。轟鳴中人們在叫喊，巨大的怪獸撲過來，老太太衝天而起，青色的身軀映襯白雲驕陽，然後消失了。藍天依舊。❷

現實生活中的火車難道全都是黑色的嗎？答案是否定的。那麼，這段文字用「黑色」這個語詞來描繪火車意味著什麼呢？意味著中國人忌諱的一個詞——「死亡」！所謂「黑色火車越變越大」其實就是「死神愈來愈近」的同義語。為了渲染死亡臨近的恐怖氛圍，借助擬人化手法，把人的主觀感覺轉移給空氣，讓「空氣被擠壓得抖

❷ 水手刀《記憶中的死亡遭遇》，載榕樹下圖書工作室選編《2001 中國年度最佳網絡文學》，灕江出版社 2002 年 1 月版第 25 頁。

起來」。這個「抖」是人在死亡臨近時產生恐懼的真實反映，反過來也就藝術地表現了對製造死亡的火車的否定性評價。火車是一種現實存在，死亡是生物的自然現象，兩者之間沒有必然聯繫，但在文本構成的特定環境中，火車與人的死亡發生了因果關係，主觀評價沒有追究人的責任，卻把責任完全歸咎於火車：空氣抖起來是被火車擠壓的結果；「老太太衝天而起」也是「怪獸撲過來」的結果。把火車比喻為「巨大的怪獸」，火車奔馳而來謂之「撲過來」，這是一個可怕的藝術形象，這一形象與「黑色」的「死亡」內涵是互為表裏的。

這段文字不僅以「黑色」體現主觀評價，而且以黑色、白色、紅色、藍色四種色彩描繪了一幅悲慘可怕的藝術圖畫。文本出現的色彩詞有 4 個：「黑色」、「青色」、「白」、「藍」；另有一種隱含的色彩：「陽光」、「驕陽」暗示紅色。其中「青色」是一個多義詞，它在漢語中通常有 3 種意義：一指綠色，如「青草」；二指藍色，如「青天」；三指黑色，如「青絲」。文本以青色描繪老太太的身軀，老人的身軀不可能是綠色或藍色，那就只有一種可能：青色就是黑色。然而現實生活中老人的身軀也未必是黑色，作者為什麼選中具有黑色含義的「青色」一詞來描寫罹難者呢？這完全出於特定藝術環境的需要。火車與老太太都是以死亡為主題的這幕人間慘劇的主角，都帶有濃重的中國文化色彩，「黑色」是最能體現這一文化特徵的首選詞，在同一語段中為避免用詞重複，也為了區分兩個主角之間的施受關係，分別以「黑色」和「青色」描繪不同的角色顯示了作者的語言技巧修養，這在古漢語中稱為「同義避複」。這樣，這幅藝術圖畫用於揭示主題的是黑色，白色和紅色是為突出表現黑色而佈置的陪襯色。至於藍色，它代表沉靜、冷漠。人間發生的慘劇無論如何驚心動魄，宇宙、天地、大自然仍按其規律運行，毫不以人的死生為念。「轟鳴中人們在叫喊」，然而「藍天依舊」，這就以藍色體現了對生死問題的另一種冷靜的主觀評價。這種貌似客觀的主觀評價通過「藍天依舊」表現出來，使形象的藝術圖畫蘊含了理性的思考，由於理性思考以客觀自然的面目出現，更加重了悲劇氛圍，猶如板著臉把人生血淋淋地撕開來給人看，產生了震懾人心的藝術效果。

根據語詞所指的事物可以聯想到該事物的色彩，因此，不直接用色彩詞也能表示色彩，例如「陽光」、「驕陽」就不是色彩詞，但它們能引起「紅色」的聯想。利用語詞的聯想空間創造藝術世界，這樣的藝術世界具有更大的審美自由。《阿啞的愛情》有一段文字抓住了「雲彩」、「顏色」兩個關鍵詞，構築了一個流光溢彩、充滿幻想的藝術世界：

> 這天，阿啞坐在山坡上看雲彩，變幻著的雲彩不斷地撩撥著阿啞的心，他臉上的表情也因此生動而令人難以捉摸。雲彩下遠遠地有歌聲傳來，一個漢子正扯破了喉嚨在喊：
> 青青的藤兒喲——離不開樹
> 溜溜的魚兒喲——離不開水
> 壯實實的哥哥喲——離不開山
> 迷死人的妹子喲——離不開哥
> ……
> 阿啞的心醉了，枕著忽遠忽近的歌兒睡了，做了幾回夢，都

是山歌裏唱的顏色。❸

這是一幅由視覺形象、聽覺形象和心靈感應水乳交融構成的藝術圖畫。創造視覺形象的關鍵詞是「雲彩」，文本特定環境中的「雲彩」語象由視覺感官傳達到大腦神經，能引起豐富的聯想，產生各種形態、各種色彩的意象，因為雲彩具有千變萬化的顏色，而不同的顏色具有不同的文化含義和情感內涵，這就為「阿啞坐在山坡上看雲彩」提供了廣闊自由的審美空間。古人曾對白雲蒼狗發出世事變遷、人生如夢的浩歎，阿啞看到的雲彩究竟是什麼形態、什麼顏色呢？這個謎只能由讀者去猜想，因此，以「雲彩」為關鍵詞塑造的阿啞形象，具有牽動人們心靈的藝術感染力。「變幻著的雲彩」說到底只是刻畫人物形象的引子，更重要的是通過「雲彩」的變幻揭示人物的心靈。阿啞的心靈被變幻的雲彩不斷地撩撥，臉上的表情也因此生動而令人難以捉摸，阿啞的內心世界究竟是什麼樣子呢？這不能不使讀者油然產生探求的渴望。作者扣緊了語詞「雲彩」，循著對「雲彩」——「心」——「表情」的描寫，把讀者的思緒緊緊扣住，然後筆鋒一轉，以「雲彩下遠遠地有歌聲傳來」為引導，展開了聽覺形象的塑造。

雲彩下傳來的歌聲與阿啞看雲彩的畫面是一個藝術整體，文本借用電影配音的技巧，以歌聲深化畫面，更以歌聲揭示阿啞的內心世界。這樣，由阿啞看雲彩而引起的令人難以捉摸的表情，在歌聲

---

❸ 蓼藍《阿啞的愛情》，載榕樹下全球中文原創作品網編《一個人不如兩個人》，上海文化出版社 2002 年 4 月版 121－122 頁。

中得到理解；人物內心的憧憬，也因歌詞的美妙而變得如雲彩那樣神奇璀璨。作者利用歌詞創造了一連 4 個有內在邏輯聯繫的藝術形象，第一個形象是離不開樹的藤。修飾「藤」的色彩詞「青青」是大自然的綠色，它象徵著生命，但這生命並不意味著孤獨，它必須與樹相依才能長青。第二個形象是離不開水的魚。修飾「魚」的形態詞「溜溜」勾畫出魚兒活蹦亂跳、生機勃勃的靈動姿態，但魚兒一刻也不能孤獨，因為離開水就意味著死亡。第三個形象是離不開山的哥哥。大山哺育了哥哥，哥哥也就如山一般的壯實，哥哥一旦離開大山，便會喪失生存的基礎。第四個形象是離不開哥的妹子，並且加上了「迷死人」這樣的修飾語，這就突破了藤對樹、魚對水、哥哥對山的單向依存關係，暗示不僅妹子離不開哥，哥也離不開妹子，妹子與哥是雙向依存關係。這種關係才是謳歌的永恆主題，因為只有這種關係，才能既維持個體的生存，又能保證生命的延續。歌詞塑造的聽覺形象使阿啞心醉，那是因為歌聲唱到阿啞心裏去了，同時歌聲也把讀者引進阿啞的心靈深處去了。文本創造的視覺形象、聽覺形象與人物心靈渾然一體，變幻出了象徵生命、象徵愛情的五彩繽紛的顏色。這樣理想的美妙的顏色，或許就是阿啞夢境中山歌裏唱的顏色吧！

二、修辭創新

坦白地說，運用修辭技巧塑造藝術形象並非網絡文學的強項，不過個別文本也確有值得刮目相看之處：

我從沒有見過她和女孩子吵架。

我從沒有見過她穿裙子。

我從沒有見過她溫柔地詢問。

我從沒有見過她寫下柔情似水的句子。

我從沒有見過她推辭。

她總是說，絕對不可能，IMPOSSIBLE。

她總是說，我告訴你，這是肯是的。

她總是說，我是優秀的。

她總是說，我喜歡岳飛的《滿江紅》。

她喜歡極有氣勢的東西。

她簡直不是女孩子。❹

這段文字在目前流行的修辭學著作中沒有地位。要說是排比吧，以上語句長短錯落，參差不齊；要說是反復吧，反復的短語只是整個語句的一部份。這應當是網文作者的一種創新，為稱述的方便，姑且謂之連比。稍加考察就不難發現，這連比絕非單純的修辭技巧，它其實是兼有修辭、敘述人稱換位、多視角多方位描述等綜合性功能的藝術手段。文本中的「我」與「她」是調動藝術手段，創造藝術形象的關鍵詞語。通常情況下，文本某個部份的重複，往往是向讀者暗示表達的重點，但這裏的「我從沒有見過她」重複 5 次，「她總是說」重複 4 次，則首先是出於修辭的考慮。相同音節的反復分行排列除了構成回環往復的優美旋律而外，還能使語句猶如滾滾江河，一波蓋過一波，氣勢充沛，產生振奮人、感動人的藝術效

❹　垂青《牽一下手，好嗎？》，載《一個人不如兩個人》第 153 頁。

果。連比的長處在於：它既有反復辭格的語音旋律和排比辭格的充沛氣勢，又有語句之間節奏和長短的對比。它與反復的整體差別是同中有異，與排比的不同是語句長短隨意所適，不受形式整齊的限制。若要進一步探索作者為何運用這種不倫不類的修辭技巧，那麼答案只有一個：塑造人物形象的需要。因為「她」是一個具有獨特個性的人物形象，所以最好用一種獨創的藝術手段去塑造「她」。文本中的「她簡直不是女孩子」，那就不必用妙曼溫婉的文辭去雕琢「她」；文本中的「她喜歡極有氣勢的東西」，用這種長短率意、氣勢酣暢的連比句式去解讀她，不是更符合「她」的個性特徵，不是更具有藝術魅力嗎？

從敘述人稱看，關鍵詞「我」與「她」相互換位，構成了鏡像似對稱美：以第一人稱敘述，映現的是「她」的生活細節；以第三人稱敘述，映現的是「我」的言語內容。無論以第一或第三人稱敘述，其焦點不變——總是指向文本塑造的同一個人物形象，因此，前 5 個語句裏的「她」與後 3 個語句裏的「我」是重疊的，換句話說，這兩個語詞所指的對象完全一致但符號形式不同。這樣的藝術表現手法很像是從東北民間表演藝術「二人轉」脫胎而出，創造性地運用於文本人物形象的塑造。首先，前 5 個語句領頭的「我」，一出口就是 5 個「她」，「她」還未出場，其情態舉動，已宛在眼前。其次，等到「她」登臺，開口就是一連三個「我」，其言語之爽快，好惡之鮮明，個性之獨特，就在「我」、「她」轉換之間，凸現了一個缺少女性溫柔卻不乏陽剛氣概的活潑少女形象。再次，第一和第三人稱代詞在前 5 個語句與後 3 個語句裏相距的幾何長度分別相等，且前後位置正好對調，這在形式審美上極易引起聯想：

如果在靜態條件下把其一視為實體，則其二即為鏡像；若把二者的轉換視為動態過程，則無異於「二人轉」的兩個演員在繞圈子。由於「我」、「她」兩個關鍵語詞運用的巧妙，拓展了這段文字的藝術審美空間。

就敘述人稱而言，只有「我」與「她」兩個基本點，但就塑造人物形象所採取的視角而言，從每個基本點出發都可以用不同的視角觀照人物、塑造人物。前 5 句以「我」為基本點，分別從不同視角加以觀照，以簡練的白描手法勾畫出「她」與眾不同的特點：待人——不和女孩子吵架；對事——不推辭；衣著——不穿裙子；禮節——不溫柔地詢問；文辭——不寫柔情似水的句子。後 6 句以「她」為基本點，從兩個不同方位出發。第一個方位就是站在「她」的立場，用「她」的語言，表露「她」的個性：不留餘地——總是說「絕對不可能」；遇事果斷——總是說「這是肯定的」；非常自信——總是說「我是優秀的」；好惡鮮明——總是說「我喜歡岳飛的《滿江紅》」。第二個方位就是站在局外人的立場，對「她」加以歸納性評價，從而將各個方位、各個視角的觀照描寫做一個總結，塑造出一個整體的人物形象。從不同方位、不同視角所觀照描寫的人物特徵，對於人物的整體來說，都是片面的，這些片面的特徵猶如攝影機捕捉到的特寫鏡頭，當它們經過藝術的剪裁構成一幅幅渾然一體的連續畫面時，就會喚起讀者的聯想，並且按讀者的審美意向構成理想的人物形象。由於讀者群體的文化素養、審美水平的差異，對連比語句理解的不同，不同讀者閱讀文本時獲得的藝術感受也就不一樣，這就表明語詞運用技巧的創新增大了這段文字的藝術容量。

通過以上分析，可以清楚地看到關鍵語詞在文本結構、藝術審美中的重要作用。由此可見，語詞的錘煉始終是網文作者提高藝術創作水平的基礎性工程。

第二節　語段藝術審美

描寫是一切文學文本常用的表現手法。從總體上看，網絡文學文本在描寫技巧上雖沒有取得突破傳統文學文本的成就，但其中有的文本語段的場景描寫頗有新意，而且具有一定的藝術內涵。這些語段通過場景描寫，或藝術地揭示人物的品質與心靈，或藝術地將景物人格化，或以洗練的語言勾勒出平凡的生活圖畫；它們展示的藝術圖景或激昂，或浪漫，或沖淡，字裏行間總有撥動人們心弦的地方，值得提出來探討。

一、激昂美

慷慨激昂是陽剛美的一種表現，是中國文學文本從古以來就反復表現、反復歌詠的一種美。大概這種美已把陽剛之氣上升到極致，所以它的背後往往潛伏著隱憂。「一彈再三歎，慷慨有餘哀」，「慨當以慷，憂思難忘」，古老的文化氣息給慷慨激昂平添了幾分悲涼，這就使歷史文學文本所映現的激昂美難免多少滲和了美人遲暮之感。杜梨《護橋的老馬》所描繪的老馬與洪水搏鬥，搶救火車的場景，把場景的激越與人心的高尚融為一體，從一個新的視角充實了激昂美的內涵：

> 水聲，雨聲，雷聲，震得人心驚肉跳，上下左右都是水，把我們都嚇傻啦！老馬仍在每根電話線上試著，瘋子般搖著電話，啞著嗓子吼著，眼珠子都紅了。三十六根電話線都試過了，都不通。他不住勁地看懷錶，69 次特快就要開過來了。橋上的電話線都是黃豆粗的紅銅線，洪水卷著樹枝把線一根根扯斷，發出子彈那樣清脆的尖嘯。聲聲炸雷在鐵橋上砸出團團火球，湍急的洪水撞擊在鐵橋上，激起兩層樓高的惡浪。老馬像狼一樣仰天乾嚎：「老天爺啊，那可是一車人吶！」❺

這段文字採取主觀與客觀兩種視角，以第一人稱複數和第三人稱單數兩種敘述人稱描繪場景，其中以客觀視角和第三人稱單數為主要切入點。場景由人和環境兩方面構成，人又分為主要人物與陪襯人物。環境則通過文本塑造的聽覺形象與視覺形象融會為令人心驚肉跳的動態畫面，在步步展現險惡環境的同時，敞開人物的心聲，使特定環境中的人物形象更富於真實的藝術美。

文本首先推出的是一種大寫意的朦朧的但又是氣勢宏大的藝術畫面，這一畫面由主觀的聽覺形象「水聲」、「雨聲」、「雷聲」與視覺形象「上下左右都是水」融會而成。為了強調環境的險惡，使讀者獲得感同身受的深切體會，文本以第一人稱複數進行描述，以在場陪襯人物「我們」所體驗的「心驚肉跳」、「嚇傻」來感染

---

❺ 杜梨《護橋的老馬》，載榕樹下全球中文原創作品網編《愛是絕版》，上海文化出版社 2002 年 4 月版第 179－180 頁。

讀者。描寫的鏡頭由宏觀向微觀推進，搖向險惡環境中的主要人物「老馬」，視角隨之由主觀轉為客觀，呈現在讀者眼前的是一個集視覺與聽覺感受為一體的藝術形象。這個形象完全沒有先驗的英雄光環，而只有在那種千鈞一髮的危險態勢下才可能出現的行為、聲音、眼神。之所以運用「搖」、「吼」、「紅」這三個語詞，是險惡環境與高度責任心碰撞產生的必然選擇。用「瘋子」來描繪「老馬」這一形象，在讀者腦際打上了深深的烙印，因為世界上的瘋子只有兩類：一類是喪失了理智的人；另一類則是不達目的絕不甘休的人。「瘋子」與下文「像狼一樣仰天乾嚎」的意義，不僅在於把「老馬」的執著個性點石成金，而且對那些侷限於用漂亮的言辭描寫正面人物的陳套，提出了挑戰。

隨著鏡頭的逼近，朦朧的環境已變得清晰，先前只有聽覺形象的「雷聲」、「水聲」，如今不但可聽，而且可見：「聲聲炸雷在鐵橋上砸出團團火球」；「震得人心驚肉跳」的水聲，「撞擊在鐵橋上，激起兩層樓高的惡浪」，聲音和意象整合構成的形象，逼真地展示了 69 次特快車可能遭遇的可怕危險，整個場景無論人與環境都無可選擇地被推向激越的高潮。也只有在這節骨眼上，「老馬」才可能發出「像狼一樣」的「乾嚎」，這是一種不達目的絕不甘休、拼死也要與老天決鬥的聲音，也是人物個性、人物靈魂最徹底的坦露。文本以「瘋子般搖著電話，啞著嗓子吼著，眼珠子都紅了」這一串語句，從動作、聲音、神態三個方面展示人物激昂的情緒，最後歸結為「老天爺啊，那可是一車人吶」這句對人民的生命財產高度負責的鏗鏘之語，把藝術場境的激昂美與人物品質的崇高美融為一體，一掃傳統文本慷慨悲涼之暮氣，產生了振奮人、鼓舞人的藝術效果。

二、浪漫美

與表現激昂美運用充滿張力與快速節奏的描繪方法不同，表現浪漫美多是採用靈動舒緩的筆觸創造一種理想化的藝術圖景：

> 嵊縣山清水秀，唱越劇是最合適不過的。一條美麗的剡溪穿城而過，水清得像玻璃透著溪底的卵石，溪畔的楊柳和蘆葦就是站成一排一排的小城女子，隨風而舞的蘆葦葉子呢，好比是女子的長髮在風中飄揚，她們站在黃昏的殘霞中一齊亮開了嗓子咿咿呀呀地唱著，唱得溪水也放慢了流速，唱得西邊的太陽也醉紅了臉。❻

嵊縣是古代越國的屬地，也是越劇發源的地方。為什麼這裏最合適唱越劇呢？作者首先從主觀的視角提出看法，然後從客觀的角度加以描述。所謂「客觀」，就是運用了第三人稱代詞「她們」作為形式標誌。但這個所謂「客觀」只是一個引導讀者的路標，當讀者以為自己在客觀地瞭解現實的嵊縣之時，其實已經不知不覺地步入了文本中的理想的嵊縣。這就是以第三人稱取代第一人稱，以客觀置換主觀這一藝術表現方式的高明之處。以現實主義的寫實手法反映現實，同以滿蘸著深情的筆觸去創造理想中的真實，在審美取向的

---

❻ 斷橋殘雪《古鎮舊事》，載陳村主編《人類兇猛》，花城出版社 2001 年 4 月版第 67 頁。

抉擇與藝術手段的調動方面，都有很大的差異。文本所創造的藝術世界是一個比現實的嵊縣更美妙，更浪漫，更有情趣的越劇之鄉。她的美妙，在於剡溪形象的塑造。剡溪形象之所以動人，是因為溪水和溪畔都具有各自的形象特徵，而且又渾然一體。溪水重在一個「清」，「清得像玻璃」，能透過清水看到溪底的卵石，這是一種晶瑩清純的美。她的浪漫，在於溪畔的楊柳和蘆葦，這些亭亭玉立站成排的小城女子，葉如長髮，隨風而舞，婀娜多姿。溪水的清麗，溪畔綠葉的飄逸，構成了剡溪獨特的個性。她的情趣，在於瀟灑的楊柳和蘆葦不僅風姿卓絕，而且多才多藝。她們咿咿呀呀地傾吐著衷腸，溪水為之慢流，太陽為之沉醉。創造這樣一個理想的藝術世界必定出於對現實的獨特理解，作者把富有人文內涵的剡溪當作嵊縣的化身，剡溪不是溪，而是一個清麗、浪漫、富有情趣的妙曼才女，她的形象，她的個性，她的情懷，與越劇唱腔的清麗、婉轉、抒情正好吻合。這樣不難發現：作者不去謳歌嵊縣人得天獨厚的越劇氣質，卻去描繪剡溪的清麗天然；作者不去讚美當地人津津樂道的「越劇十姐妹」，卻沉醉於楊柳和蘆葦的咿咿呀呀。這多少透露了浪漫美的底蘊：地靈人傑，溪水、楊柳、蘆葦尚且如此，人當何如，不言而喻。欲寫人卻不寫人而寫物，寫物而又賦物以人格，借擬人之物複映射人，運筆舒緩靈動而藝術內涵不失淺薄，應當說是這一語段在藝術審美上的有益啟示。

三、沖淡美

沖淡美如橄欖，沒有激越的場面，沒有浪漫的情懷，只用疏淡的筆觸，從容地勾勒出純樸的畫面：

> 村子建在高坡上。西頭有條河。河西邊是片菜地，菜地再遠些是群山。村尾有幢老屋，青磚灰瓦，經風雨一百二十年。屋前有三棵樹，柿子樹高瘦；廣柑樹矮壯；再一棵，就是五六人都圍不攏的老樟了。樹下一群啄食的雞。雞旁一把泛舊的竹椅，椅旁一根拐棍，椅上一張草編的蒲團，蒲團上坐著貴生婆婆。貴生婆婆身邊躺著懶懶的老黑狗。❼

展現在眼前的，是由層次分明的視覺形象構成的一幅靜謐的圖畫，說得更貼切些，應當是無聲的電影。很像故事片開始的長鏡頭，首先映入眼簾的是村子所處的地理環境，然後鏡頭轉向村西的河流，河西是菜地，遠處是群山。鏡頭一下拉向村尾的老屋，這是一幢青磚灰瓦的清末傳統建築。緊接著依次出現了三棵樹，鏡頭停在第三棵老樟樹下，樹下有一群雞。拉近：依次是竹椅、拐棍、蒲團；往上搖：是貴生婆婆；往旁邊看：是老黑狗。這樣極普通的畫面在火熱的經濟大潮中已經久違了，就像久居於水泥建築林立的城市人，看到簡陋的茅草棚，自有一種返朴歸真的愉悅感。因為沖淡也是一種美，是一種沒有故作的姿態而表現生活的本真所創造的藝術美。

這段文字之所以讀出猶如電影藝術那樣的興味，是因為它的鋪敘層次特別清楚，令人很自然地與電影鏡頭的功能掛鈎。不過，電影歸電影，文本是文本，文本既要區分不同景物的空間位置，又要把缺乏邏輯聯繫的景物聯成一氣，靠的什麼？靠兩點：第一點是觀

---

❼ 寞兒《太陽落山》，載陳村主編《貓城故事》，花城出版社 2001 年 4 月版第 182 頁。

察的視角；第二點是聯句的藝術。先談第一點，文本循遠近關係採用了焦點透視與散點透視相結合的視角描寫景物。所謂焦點透視，是西方美術構圖採用的透視方法，即選定一個固定的觀察點來描繪事物；所謂散點透視，是中國傳統繪畫常採用的透視方法，即觀察點沿水平方向或垂直方向自由移動，從同一水平線上或垂直線上不同的觀察點來描繪事物。視線從建在高坡上的村子，到村尾老屋，再到屋前的樹，由遠及近，視點未變；視線由高坡上的村子，到河西菜地，再到群山，由近及遠，視點也未變。這是採用焦點透視的原理描繪村子的地理環境。當視線落到老樟樹下的時候，視點發生了變化，由雞到竹椅，再到拐棍，視點按水平方向移動；由竹椅到蒲團，再到貴生婆婆，視點從下而上按垂直方向移動；由貴生婆婆到老黑狗，視點又按水平方向移動。兩種透視方法的交替運用，使畫面富有立體藝術效果。其次談聯句的藝術。把毫無邏輯聯繫的景物構組為完整的場面，靠語句的相互協同，而語句的相互銜接，文本主要用的是頂真修辭手法。頂真不僅有聯句的功能，而且有樂音化功能，它能借助語音的定位重複產生音樂美感，進而產生音樂聯想，在讀者腦海中構成音樂形象。這樣，一幅本來無聲的恬靜的山村生活圖畫，似乎隱隱地響起了畫外音，這發自心底的似有似無的音樂與文本描繪的疏淡自然的圖畫，共同喚起人們對恬淡簡樸的山居生活的悠思。

這個語段並不是單純地為了表現某一種美而寫山、寫河、寫地、寫樹、寫雞、寫用具、寫人、寫狗，村子有四面可寫，為什麼只寫西面？農村的家禽家畜種類不少，為什麼只寫雞、寫狗？這些都需要讀完全文才能領悟。場景描寫其實是受塑造人物個性這根指揮棍支配的，但對於這裏討論的沖淡美來說，已是另一個話題了。

第三節　篇章藝術審美

謀篇佈局，先要選擇題材，題材的確定，受價值取向的驅動。不同的文體，要實現的價值目標不同，寫法自然不一樣；相同的文體，作者的思惟方式、心理定勢不同，題材選擇亦因人而異；同樣的題材，藝術構思、藝術表現手法不同，審美效果也會不一樣。有的傳統題材，從古以來就受文學家們青睞，且不乏傳世佳作，如果選擇這樣的題材來構組文本，並且在一定程度上表現出個人的藝術特色，這無疑具有相當難度。描繪梅蘭竹菊四君子的文章且不說，以荷花而論，宋有周敦頤的《愛蓮說》，清有吳敬梓《儒林外史》第一回王冕觀荷花的精彩語段，近有朱自清的《荷塘月色》，而網文作者中竟不乏挑戰者，這就是名不見經傳的流浪歌手所寫的《荷》。

《荷》的描寫藝術有值得探討之處。開篇的兩個語段不寫荷而寫曾園，看似閒筆，其實是非寫不可的獨到之筆。何謂獨到，不落前人窠臼，別開生面是謂獨到。周敦頤寫蓮，是抒發主觀的志趣愛好，借蓮來表達個人的精神追求，因此他不必給蓮設定場景，他所寫的蓮，是具有高度概括性的理想的蓮，而不是特定場景中的具體的蓮。朱自清寫的荷花，雖然也是高度理想化的荷花，但這理想的荷花是由具體的荷花引發、幻化而成的，並且這荷花是置於清華園這樣有特別文化氣息的地方，這荷花就擺脫不了濃重的高雅味兒。吳敬梓筆下的荷花最具天趣，因為這荷花長在湖中，特定的自然環境使它離文人的理想有相當的距離，因為它不過就是一個牧牛人眼中的荷花，這獨具天然美而缺乏人為雕飾的荷花，正是與特定人物相適應的，因而它具有獨特性。《荷》的作者開篇寫曾園，這在描寫藝術上是比較思惟導致的選擇，這一選擇既規定了荷花出現的環境，也暗示了通過荷花將要表達的情懷以及作者的追求。曾園作為荷花出現的環境無疑是作者獨出覃思的建構，這一建構不再重複前人的話語，而以當今社會為觀照。作者的目光沒有投向瀲灩的湖光山色，也沒有眷戀文氣蓊郁充滿詩意的大學校園，卻在繁華的鬧市區裏挑出了這一片靜土，這就是所謂「大隱隱於市」的「前古的隱者」，他在滾滾紅塵的包圍之中竟然擁有一池亭亭玉立的荷。不直寫荷而先點曾園，則知曾園之荷既非周氏理想之蓮，亦非吳氏自然之荷，更非朱氏高雅之荷，曾園既是「大隱隱於市」的隱者，則隱者懷抱中的荷是什麼形象，就構成了懸念。這不能不歸功於作者開篇的藝術技巧。

沒有理學家的遐思，沒有牧牛人的悠閒，沒有教書先生的逸興，曾園之荷以她樂觀的風姿，迎接來自燈紅酒綠世界的賞荷人：

> 滿池的荷，婀娜多姿，風韻絕佳。有的綻開了笑臉，而有的只露出點點的粉色，羞澀地抿嘴微笑，猶抱琵琶半遮面。唯有風起時，青青荷葉如蓋，隨著風輕舞飛揚，舞出江南水鄉的採蓮曲：江南可採蓮，蓮葉何田田，魚戲蓮葉間……眼前分明看見江南水鄉柔婉的女子，正穿行於田田荷葉之中，素手纖纖，輕歌細語。「荷葉羅裙一色裁，芙蓉同臉兩邊

開。」是一幅多麼美麗的景象。❽

「我」來曾園是為了尋找「被一池的青葉包圍著的那種感覺」，這感覺便是美。美首先通過塑造視覺感知的動態形象表現出來，動態形象的塑造抓住了兩個關鍵動詞：「笑」和「舞」，以擬人化的手法賦予了樂觀的荷花以「綻開」的笑與「抿嘴微笑」的不同個性特徵，使人聯想到如蓋的荷葉隨風起舞，也一定各有不同的風姿。作者詳於彼而略於此，其意在於留下自由想像的空間，以便自然引出展現心理聯想的江南採蓮圖景。江南採蓮的畫面融視覺與聽覺形象於一體，打破了時空羈絆，給曾園的荷花增添了濃郁的人文氣息和抒情氛圍，給人以愉悅的藝術享受。

但是，荷給人的不僅僅是一種令人感到愉悅的美。文本最令人矚目之點，是對雨荷的描繪。描寫雨荷一共有 4 個語段，前兩個語段致力於聽覺形象的塑造：

> 突然，下起了陣雨，從一點兩點到成片，越下越大，而一池的荷便在雨中喧嘩起來，靈動起來。像是雨精靈喚醒了她們沉睡的夢，所有的活力都在剎那間展開。
>
> 耳邊傳來劈叭的聲音，是雨珠打在荷葉上，就像是明珠落玉盤，錯落有致，動聽悅耳。這分明是妙曲天成，任世上哪一

❽ 流浪歌手《荷》，載朱威廉主編《榕樹下》，上海文化出版社 2000 年 3 月版第 183－184 頁。

位天才的作曲家也作不出這樣飄舞空靈的曲子。❾

第 1 個語段先寫陣雨，陣雨由一點兩點以至於成片，無一字寫雨聲而造成了雨聲越來越大的聽覺形象。在雨聲的感召下，一池的荷都一下子甦醒過來，「喧嘩」寫活了長期沉睡的荷終於得到了自由吐露衷曲的機會，「靈動」更表現出她們潛在的青春活力如今已被雨精靈激發出來，整池的荷都像脫胎換骨一樣，丟掉了平常的羞澀，返還了她們的本真，亭亭淨植的花之君子，不再文質彬彬，而顯示了她們難得一見的靈動美。這靈動不是純粹的視覺形象，它不僅表現了荷在雨中的運動姿態，更傳達了荷在雨中高低錯落的喧嘩聲。然而這「喧嘩」絕不是噪音，它既沒有「梧桐更兼細雨」的愁緒，也沒有「雨打梨花深閉門」的孤寂，第 2 語段極力塑造的是動聽悅耳的樂音形象，而且意在借這飄舞空靈的樂曲驅散紅塵中的煩擾。如果白居易沒有用「大珠小珠落玉盤」來描繪彈奏琵琶的聲音，那麼以「明珠落玉盤」來比擬雨珠打在荷葉上的聲音，很可能是天下難得的妙語。然而現在看到這樣的句子，耳邊響起的不是雨打荷葉聲，卻是潯陽江頭女子指尖上流出的哀怨之聲。這就有違作者的初衷了。

儘管比喻有失個人獨創性，但寫雨荷的藝術構思仍值得玩味，表面看來是描寫雨中觀荷的生活場景，實則作者寫的是自己認為最美的理想的景致。第 1 個語段就是對現實雨荷理想化的宏觀描繪，它以有聲的動態形象展現的靈動美，使人感受到平常難以得見，只

---

❾ 同上。

有在陣雨之下才能領悟的潛伏在雨荷深層的生命的美。從第 2 個到第 4 個語段，緊緊扣住「雨珠」這個只有雨荷才具有的特徵，以 3 個語段的篇幅分別從聲音，從動態，從光彩三個方面表現雨荷不同的形象美，而這些不同的形象美，又都從不同的角度揭示了充滿青春活力的生命美。第 2 個語段以雨珠打在荷葉上的美妙的聲音形象，寄託了對自然美的憧憬，人為的藝術缺少的東西就是自然，在這一點上，任何天才作曲家寫的曲子也無法與天籟之音相比。第 3、4 兩個語段都著力於視覺形象的塑造。第 3 個語段聚焦於雨珠的動態變化：

> 我看著雨珠在荷葉上聚集，越滾越大，到不能承受之重時，荷葉一側，整個葉面的水珠就傾洩而下，在池中濺起幾點水花，而荷又恢復了挺拔勁秀的身姿。⑩

通過雨珠從小到大，從大到無這一變化的正面描寫，映現的卻是荷的勁秀美。挺拔勁秀意味著雨荷具有不屈不撓的生命力，但是對雨珠的細節描寫可能引起的聯想空間並不僅限於此，它多少具有把動態形象往人生、往哲學思辯層次引導的傾向，這給雨荷的優美增加了凝重感。第 4 個語段塑造的是雨過天晴的「荷仙子」形象：

> 如蓋的青葉上，殘存的雨珠反射著陽光，閃閃爍爍，就像是

---

⑩　同上。

每位荷仙子都戴上了閃光的項鏈，平添了不少的姿色。⓫

這裏的「荷」既稱「仙子」，表明作者已經形成了主觀的審美定勢，因而語句的描寫帶有理想的色彩，引起的聯想與自然主義的描寫迥然異趣。《儒林外史》第一回這樣寫雨後荷花：「湖裏有十來枝荷花，苞子上清水滴滴，荷葉上水珠滾來滾去」，映現的是一幅湖中雨後荷花的自然圖景；而這個語段映現的卻是帶著閃光項鏈的手姿卓絕的荷花仙女形象。這一超現實形象的某些顯著特徵與現實事物有相似之處，這就等於無形中誘導讀者以作者賦予的審美理想去觀照雨過天晴的荷，無論讀者腦海中形成的圖景有多麼不同，都不會影響他們對荷的價值的深入理解。而作者的目的也正是以藝術的手段爭取更多的認同者，這是用自然主義表現方法難以做到的。

無論是靈動美，音色美，勁秀美，還是光彩美，都來自荷的青春活力，因此，描繪荷的美麗，其實就是歌頌青春，讚美生命。在紅塵包圍中的曾園居然有面對陣雨英姿勃發的荷，她們的生命力如此旺盛，青春如此美麗，這就等於給「大隱隱於市」的曾園做了一個含義截然相反的注腳：這裏不是消極遁世的桃源，而是吸取力量，奮發上進的加油站！這恐怕也就是對作者寫雨荷，言及於此而意不盡於彼的繚邊鼓的藝術策略所引起的反思吧。

⓫ 同上。

附　錄

一、文學文本的語言形式審美

漢字排列的順序不同，表達的信息就不一樣；同一漢字序列，解讀的方向和順序不同，獲取的信息內容也不一樣。因此，漢字的不同排列形式與解讀方法直接影響人們對文本信息的獲取與理解。由於每個漢字都有獨立的意義，漢字文本在理論上可以從任何一個方向進行識讀，多向識讀必然獲得多種信息，但這些信息未必是文本排列者的本意。利用漢字文本的形式特徵，可以使信息表達的方式多樣化，也可以使漢字序列表達的信息多層次化。

中國古代文本有一種排列形式叫「互文」，它由若干漢字序列構成，這些漢字序列中有的漢字信息相互補充，構成超文本信息。超文本信息實質上是識讀者與文本排列者的一種默契。例如：

1. 將軍角弓不得控，都護鐵衣冷難著。（岑參《白雪歌送武判官歸京》）
2. 思家步月清宵立，憶弟看雲白日眠。（杜甫《恨別》）
3. 大城鐵不如，小城萬丈餘。（杜甫《潼關吏》）
4. 雄兔腳撲朔，雌兔眼迷離。（《木蘭辭》）
5. 君子約言，小人先言。（《禮記·坊記》）
6. 西南得朋，乃與類行；東北喪朋，乃終有慶。（《周易·坤卦·彖傳》）

如果僅從漢字序列的既定形式去理解，識讀者所獲得的信息是不完全甚至錯誤的。第 1 例的「將軍」與「都護」，第 2 例的「思家」與「步月」，在語義上分別相互補充，它們傳達的信息超出了文本通常負載的信息含量，所以在識讀第 1 序列的第一個語詞時需要與第 2 序列的第一個語詞相繫聯，理解為：將軍都護角弓不得控，都護將軍鐵衣冷難著；思家憶弟步月清宵立，憶弟思家看雲白日眠。這叫做類義互補。第 3 例的「大城」與「小城」，第 4 例的「雄兔」與「雌兔」，分別相互補充。應當超越既定序列，理解為：大城小城鐵不如，小城大城萬丈餘；雄兔雌兔腳撲朔，雌兔雄兔眼迷離。這叫做對義互補。第 5、6 兩例有省略的成份，因此識讀的難度較大。「約」與「多」，「先」與「後」語義相反而互相補充，但「多」、「後」未出現。「乃」與「不」，「有」與「無」，分別一表肯定，一表否定，但「不」、「無」也未出現。這兩個漢字序列應當分別理解為：君子約而後言，小人多而先言；西南得朋，乃與類行，而終無慶；東北喪朋，不與類行，乃終有慶。這樣一來，超文本信息量與漢字序列通常負載的信息量差距太大，文化水平有限的識讀者就很難洞察文本排列者的真實意圖了。互文因為其信息的超文本特徵而被中國古代文學家運用來作為豐富文本意蘊的形式手段，這種形式手段超越了通常言語交際的層次而上升為審美層次，這就給識讀者提供了更主動更靈活的閱讀方向，從而大大提高了漢字序列的信息量。例如杜甫《春望》詩裏的「感時花濺淚，恨別鳥驚心」，按照語義邏輯允許的識讀方式可能產生四種不同的理解：

感時恨別花濺淚，恨別感時鳥驚心；
感時花鳥濺淚，恨別鳥花驚心；
感時花濺淚驚心，恨別鳥驚心濺淚；
感時恨別花鳥濺淚驚心。

從言語交際的層次看，這是漢字序列的歧義現象；從文本的審美層次著眼，互文的多向解讀拓寬了漢字序列的藝術空間。

漢字的排列順序與識讀方向在商代晚期還比較自由，識讀卜辭通常按照如下順序：A. 從上到下；B. 從下到上；C. 從右至左；D. 從左至右；E. 從中向左；F. 從中向右。而在實際識讀時，還有一些特殊的識讀順序或識讀方向，如《甲骨文合集》第 9465 片所刻 6 條卜辭涉及 3 項不同的內容，應自下而上相間識讀。兩周金文的排列順序已有較嚴整的規律，戰國帛書和竹木簡基本上形成從上到下、自右至左的排列順序和識讀規則，漢字序列與它所負載的信息量之間的相互關係也就愈來愈穩固。戰國以降，中國人基本上遵守這個排列順序和識讀規則，但也有極少數文學天份很高的人敢於突破既成的規則，為漢字序列深層意蘊的拓展作出了貢獻。十六國時期，前秦女詩人蘇蕙因懷念其夫竇滔，織錦為回文璿璣圖。武則天《璿璣圖序》說它五色相宣，縱橫八寸，題詩二百餘首，計八百餘言，縱橫反復，皆成章句。後人驚歎其天資絕倫，但以為炫弄機巧，未能理解回文縱橫往復的漢字排列識讀方式對於多角度轉換信息，多層次揭示文本深層意蘊的重要作用。蘇蕙的璿璣圖已不可得見，但蘇伯玉之妻所作盤中詩尚流傳至今，南朝陳代徐陵所編《玉台新詠》將此詩附於晉代傅玄雜詩之後。蘇伯玉使蜀久不歸，其妻作詩寄之，訴思念之情。陳望道《修辭學發凡》比較重視此詩在修辭學上的貢獻，而它在詩歌結構形式上和識讀方向上的創新具有更重要的意義。全詩 168 字，27 韻，以 3 字句為主，7 字句為輔，長短頓挫，情感抑張，均得其宜。原詩是寫在盤上的，根據其末句「當從中央周四角」可知其識讀方向應從盤中央發端，迴旋及於四角，借助漢字排列順序的變化來加強詩歌委婉迴旋的藝術魅力。

可能是受到盤中詩漢字排列形式的啟發，中國瓷器上漢字的排列與識讀較為自由，因而信息量較大，具有多層次或多方向的審美意蘊。例如茶杯蓋上常有如圖 1 所示的漢字排列形式：

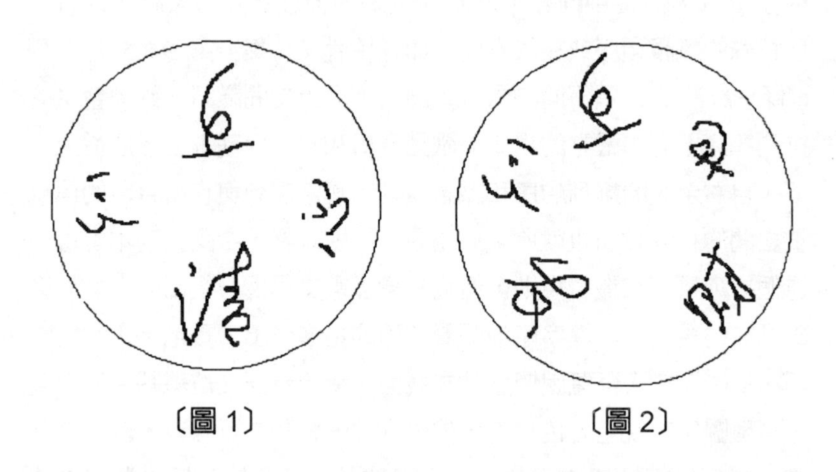

〔圖 1〕　〔圖 2〕

圖 1 的漢字排列形式提供了自由的識讀方向，從不同的觀察角度可以獲得不同的信息。若以「清」為識讀的起點，逆時針依次識讀可得出 4 個漢字序列：清心可以，心可以清，可以清心，以清心可；順時針依次識讀也可得出 4 個漢字系列：清以可心，以可心

清，可心清以，心清以可；縱橫交錯識讀又可得出 8 個漢字序列：清可以心，清可心以，可清以心，可清心以；以心清可，以心可清，心以清可，心以可清。這些漢字序列都符合漢語的語義邏輯。在一個茶杯蓋上書寫的 4 個漢字，居然蘊含了這麼多的信息量，這就給識讀者帶來了較為寬廣的思考空間和層次豐富的審美趣味。圖 2 是一位臺灣商人家裏懸掛的條幅上的圖形，這個圖形上的漢字顯然與茶杯蓋上的漢字排列形式相同。若以「發」字為識讀起點，逆時針識讀可得出 5 個漢字序列：發財也可以，財也可以發，也可以發財，可以發財也，以發財也可；順時針識讀也可得出 5 個漢字序列：發以可也財，以可也財發，可也財發以，也財發以可，財發以可也。當然也可以縱橫交錯識讀，但未必得出的漢字序列都符合語義邏輯。利用漢字在器皿上排列的靈活性以及識讀方向的自由性，既增加了漢字序列的信息量，又使漢字序列更富於審美意蘊。如圖 3 是筆者家中的一隻花盆的示意圖：

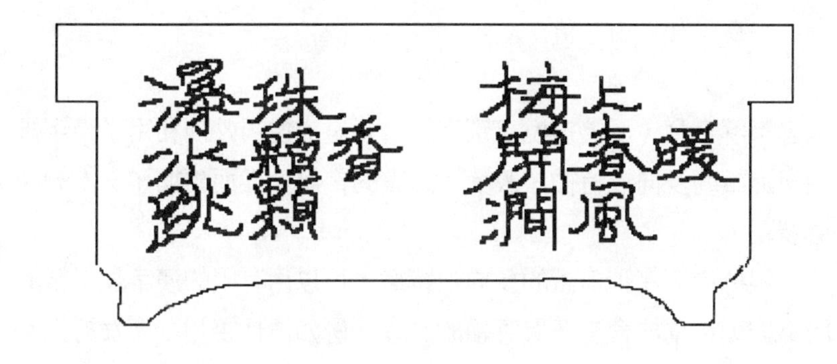

〔圖 3〕

盆上排列的漢字如果橫向識讀，則不符合語義邏輯，如果縱向識讀，則可以得出兩個漢字序列。自右至左，從上到下為：暖上春風梅開潤，香珠顆顆瀑水跳；自左至右，從上到下為：瀑水跳珠顆顆香，梅開潤上春風暖。漢字的排列必須給多向識讀留有語義上的內在聯繫，否則彼此齟齬，文不成句，那就無所謂審美感悟。

《說岳全傳》敘述韓世忠困金兀術於黃天蕩，躊躇滿志，上金山寺向道悅和尚求問前途，道悅和尚給他一帖矩陣形式的偈句，句云：❶

走　河　鸛　老
馬　慮　叫　龍
當　金　一　潭
先　人　品　內
問　拿　立　起
路　不　當　波
遙　住　朝　濤

世忠不解真意，反笑道悅寫別字。這正是道悅巧妙地利用了漢字排列與識讀的多向性特徵，改變了識讀的常規，從而轉換了文本的深層意蘊。

根據漢字序列識讀的多向性特徵，可以用有限的漢字加以精心組織排列，構成含有多層意蘊的文本。例如清代婺州永康女詩人吳

---

❶　錢彩等《說岳全傳》，上海古籍出版社 1979 年 6 月版第 337 頁。

絳雪所著四季回文詩：❷

鶯啼岸柳弄春晴夜月明
香蓮碧水動風涼夏日長
秋江楚雁宿沙洲淺水流
紅爐透炭炙寒風禦隆冬

該詩組合方法為每行成詩一首。識讀方法：第 1 句從左向右取前 7 個字，第 2 句從左向右省去前頭 3 個字，第 3 句從右向左取前 7 個字，第 4 句從右向左省去前頭 3 個字，這樣就成為：

春

鶯啼岸柳弄春晴，柳弄春晴夜月明。
明月夜晴春弄柳，晴春弄柳岸啼鶯。

夏

香蓮碧水動風涼，水動風涼夏日長。
長日夏涼風動水，涼風動水碧蓮香。

秋

秋江楚雁宿沙洲，雁宿沙洲淺水流。
流水淺洲沙宿雁，洲沙宿雁楚江秋。

冬

紅爐透炭炙寒風，炭炙寒風禦隆冬。

---

❷ 馮媛《吳絳雪的四季回文詩》，載《經濟日報》1987，（6）。

冬隆禦風寒炙炭，風寒炙炭透爐紅。

若從中部分別向左向右往復識讀，則又可成為：

春	夏
鶯啼岸柳弄，弄柳岸啼鶯。	香蓮碧水動，動水碧蓮香。
明月夜晴春，春晴夜月明。	長日夏涼風，風涼夏日長。
秋	冬
秋江楚雁宿，宿雁楚江秋。	紅爐透炭炙，炙炭透爐紅。
流水淺洲沙，沙洲淺水流。	冬隆禦風寒，寒風禦隆冬。

對同一漢字序列由於識讀意向的變化和切分走向的不同，可以衍生出多個漢字序列，而每個新生的漢字序列與原漢字序列都有語義聯繫，但審美意蘊則比原序列更為深厚。因此，回文詩堪稱是以最精煉的結構形式蘊含最豐富審美信息的文本典範。

由於早期漢字與圖畫的密切關係，當代有的詩人已不再滿足於僅僅依靠變化或切分既定的漢字序列來加大信息量和豐富審美內涵，因為漢字序列作為承載信息內容的符號系列，它自身也含有信息，正如中國的傳統書法文本，它一方面承載了文本的信息內容，另一方面漢字字形又包含有形式審美信息。基於這樣的事實，臺灣現代派詩人白荻早在 20 世紀 60 年代就主張表現詩的繪畫性，強調以「圖」示「詩」。這一主張的實質是企圖借助漢字符號構成的有形結構揭示文本內容的無形結構所隱含的深層意蘊。他的代表作

《流浪者》就是一種嘗試：❸

望著遠方的雲的一株絲杉
望著雲的一株絲杉
一株絲杉
絲杉
在地平線上
一株絲杉
在地平線上
他的影子，細小。他的影子，細小。
他已忘卻了他的名字。忘卻了他的名字。
只站著。只站著。孤獨
地站著。站著。站著
站著
向東方
孤單的一株絲杉。

作者企圖以漢字排列所組成的結構形式喚起識讀者的圖畫形象聯想：右方是遠山高峰，左邊是近山參差起伏，中間是遼闊的地平線，地平線上有一棵孤獨的絲杉。有人認為這 22 行詩可以精簡為兩行：一株細小的絲杉忘卻了自己的名字，他在地平線上孤獨地望著東方的雲。如果照這樣，就失去了具有強烈視覺衝擊力的形式以及形式本身所蘊含的信息，失去了詩行構建的圖畫形象，缺乏想像空間，大大削弱了深層內容的開掘，很難引起識讀者的審美興趣與情感共鳴。以「圖」示「詩」是否可取不屬本文討論的範圍，需要

❸ 吳冕《詩體一怪——圖示詩》，載《語言美》1987，（2）。

指出的是，它的積極意義在於打破了中唐以來形成的詩歌的矩陣格局和單純的線形排列模式，為調動和利用詩歌形式本身的信息作出了嘗試性探索。充分運用漢字序列的形式變化增大信息含量是豐富文學文本美學意蘊的有效途徑之一。

二、文學語言的語音特色與文學風格
——以魯迅、茅盾、趙樹理農村題材小說爲例

歷來探討文學風格，總是把它同文學表現技巧相聯繫，很少涉及文學語言。至於文學語言的語音特色與文學風格有何關係，至今是一片荒漠，無人問津。中國傳統的韻文，如詩、詞、曲、賦等，是很重視語言錘煉的，對語音特別講究，因為它是構成作家的語言個性，進而形成文學風格的重要因素。值得引起重視的是，除了韻文之外，散文、小說等非韻文作品同樣具備各自的語音特色。對文學文本語音特色的分析，可以窺見作家的文學風格。尤其是獨具一格的文學大家，他們的文學風格首先就從文學語言的語音底層反映出來。以魯迅、茅盾、趙樹理的不同時代的農村題材小說為例，從語音分析入手，可以發現文學語言的語音特色與文學風格的關係。

從理論上說，文學大家所創作的任何文學文本，都可以從不同程度上反映作家文本的語音特色與文學風格的內在聯繫；但對具體文本而言，並非在任何語段上的語音組合都能鮮明地體現作家的文學風格，因為語音特色只是構成文學風格的一個因素，僅憑某一方面的特徵就對作家的文學風格下斷語是危險的。這只是問題的一個方面，另一方面，作家代表性文本的某些語段比較突出地表現了作家的個人風格，這也是無可爭辯的事實。因此，下文所分析的文本，都是作家代表作中具有一定代表性的語段，這樣便於發現不同作家的相同題材文本在語音上的不同個性特徵。代表性語段有兩類：一類是人物刻畫，另一類是環境描寫。

㈠ 人物刻畫的語音特色體現文學風格

先看魯迅的《祝福》所描繪的祥林嫂窮途末路的畫像：

> 五年前的花白的頭髮，即今已經全白，全不像四十上下的人；臉上瘦削不堪，黃中帶黑，而且消盡了先前悲哀的神色，仿佛是木刻似的；只有那眼珠間或一輪，還可以表示她是一個活物。她一手提著竹籃，內中一個破碗，空的；一手拄著一支比她更長的竹竿，下端開了裂：她分明已經純乎是一個乞丐了。❶

以上 15 組文字的平仄和音步（下加橫線表示若干音節為一個音步）依次分析如下：

⑴仄平平輕　平平輕　平仄
⑵平平　仄平　平平
⑶平仄仄　仄平　仄仄輕　平
⑷仄仄　仄平　仄平
⑸平平　仄平
⑹平仄　平仄輕　平平　平平輕　平仄
⑺仄仄仄　仄仄仄輕
⑻仄仄仄　仄平　仄平　平平
⑼平仄仄　仄仄　平仄　平仄　平仄
⑽平　平仄　平輕　平平

---

❶ 魯迅《祝福》，載《魯迅全集》第 2 卷，人民文學出版社 1981 年版第 6 頁。

⑾仄平　平仄　仄仄

⑿平輕

⒀平仄　仄輕　平平　仄平　仄平輕　平平

⒁仄平　平輕仄

⒂平　平平　仄平　平平　仄平仄　仄仄輕

在以上 53 個音步中，單音節音步 3 個，雙音節音步 36 個，三音節音步 12 個，四音節音步 2 個，由單音節和雙音節構成的音步占總音步數的 73.6%，而且，除 4 個 10 字以上的長句外，其餘都是 10 字以下的短句，整段文字的基調以慢節奏為主。由於節奏緩，音步包含的音節少，易上口，易記憶，文字對應的語詞所形成的意象也就容易給讀者留下較深的印記，這就為表現特定的文學風格提供了音律基礎。從音節的平仄搭配看，「五年前的花白的頭髮，即今已經全白，全不像四十上下的人」這段話的語音的對比很明顯，前面 15 字語調和緩，因為平聲字多，仄聲字少，聲音高低的變化小；後面 9 個字就不同了，3 個平聲字間插在 5 個仄聲字裏，聲音的高低和著節奏的長短變化，表現出明顯的頓挫的語音效果。加之 3 個平聲字全是上揚的陽平調，5 個仄聲字全是下滑的去聲調，聲調高低落差極為懸殊，頓挫的語音效果就更加強烈。「臉上瘦削不堪，黃中帶黑，而且消盡了先前悲哀的神色，仿佛是木刻似的」這段話的前 6 字語調低沉，因仄聲字是平聲字的 2 倍。中間 16 字語調平緩，因平聲字占絕對優勢。後 7 字沉鬱緊湊，一方面由於全是仄聲字，另一方面因為兩個音步都是多音節音步。「只有那眼珠間或一輪，還可以表示她是一個活物」這句話的前 9 個字語調由低沉變頓挫再趨於高亢，因為開頭是一個全由仄聲字構成的三音節音步，中間是兩個平仄相間的雙音節音步，最後是由兩個平聲字構成的音步。這句話的後 11 字語調低沉而頓挫，這是因為除了一個由兩個仄聲字構成的音步而外，其他音步都是平仄配搭，語音高低呈均衡間隔性變化。「她一手提著竹籃，內中一個破碗，空的」，前 7 字之中只有一個仄聲字，語調平緩，中間 6 字平仄間插而仄聲字佔優勢，故語音頓挫低沉。最後 2 字一平一輕，較舒展。「一手拄著一支比她更長的竹竿，下端開了裂：她分明已經純乎是一個乞丐了」，前 13 字中有兩個平聲音步，一個由仄聲與輕聲構成的音步，其餘音步都是平仄對立，故語調平中有起伏。中間 5 字兩個音步平仄對立，語音跌宕。最後 13 字由以平聲為主的音步漸變為以仄聲為主的音步，語調從高平轉為凝重。上列 15 組文字按平仄音節的多少可分為兩類：第 1、2、5、6、10、12、13、15 組算一類，平聲音節佔優勢，語音高低變化幅度小；第 3、4、7、8、9、11、14 組是另一類，平仄混雜，仄聲音節較多，語音的高低變化大。這兩類不同語音群交錯排列組合，構成了整個語段沉鬱頓挫的語音特色。

由於整個語段以雙音節音步為主，而雙音節音步又以平仄對立為主，這就構成了抑揚頓挫對比鮮明的短節奏基調。而由三個仄聲音節構成的音步，無疑增加了語音的沉重感，當它們與平聲音步共現之際，自然形成了跌宕沉鬱的音樂美。試看第 7 組的兩個多音節仄聲音步與第 6 組的兩個平聲音步的語音對比，不難發現它們正是這一語段的語音反差最強烈的部份，第 8 組開頭的仄聲三音節音步進一步加強了沉鬱感，使 6、7、8 組文字成為這一語段的語音波礫變化最大、語言個性表現最鮮明的地方。不僅如此，這一語段在沉鬱頓挫之中，還給人以和諧的美感，作者在行文之際，注意到語句末字的選擇，如第 10 組的「籃」，第 11 組的「碗」，第 13 組的「竿」諧韻。如果用吳語朗誦，第 5 組的「黑」與第 6 組的「色」也諧韻。顯而易見，這一語段文字的節奏美與韻律美所造成的沉鬱、頓挫、和諧的語音特色與魯迅小說含蓄深沉的語言個性是一致的，這種語言個性是文學風格蘊藉精深的根本基石，它滲透在刻畫不同人物形象的語段中。試看魯迅對閏土形象的刻畫：

> 他身材增加了一倍；先前的紫色的圓臉，已經變作灰黃，而且加上了很深的皺紋；眼睛也像他父親一樣，周圍都腫得通紅，這我知道，在海邊種地的人，終日吹著海風，大抵是這樣的。他頭上是一頂破氈帽，身上只一件極薄的棉衣，渾身瑟索著；手裏提著一個紙包和一支長煙管，那手也不是我所記得的紅活圓實的手，卻又粗又笨而且開裂，像是松樹皮了。❷

《故鄉》的閏土與《祝福》的祥林嫂在文學語言的語音底層就顯示了作者一貫的語言個性，從而表現了蘊藉精深的文學風格。為了說明這一點，試把以上語段的平仄和音步分析如下：

(1)平平平　平平輕　平仄

(2)平平輕　仄仄輕　平仄

---

❷ 魯迅《故鄉》，載《魯迅全集》第 1 卷，人民文學出版社 1981 年版第 481－482 頁。

⑶仄平　仄仄　平平

⑷平仄　平平輕　仄平輕　仄平

⑸仄平　仄仄　平仄平　平仄

⑹平平　平　仄輕　平平

⑺仄　仄平仄

⑻仄仄平　仄仄輕　平

⑼平仄　平輕　仄平

⑽仄仄仄　仄仄輕

⑾平　平平仄　平仄　仄平仄

⑿平仄　仄平仄　仄平輕　平平

⒀平平　仄仄輕

⒁仄仄　平輕　平仄　仄平　平平平　平平仄

⒂仄仄　仄仄仄　仄仄　仄仄輕　平仄　平仄輕　仄

⒃仄　仄平　仄仄　平仄　平仄

⒄仄仄　平仄平輕

這一語段共 61 個音步，其中單音節音步 6 個，雙音節音步 32 個，三音節音步 22 個，四音節音步 1 個，由單、雙音節構成的音步共 38 個，占總音步數的 62.3%，較《祝福》的 73.6% 稍低，整個語段仍以短節奏為主，但由於三音節音步較多，節奏較《祝福》的語段更為緊湊。《故鄉》語段的平聲音步 15 個，與《祝福》的 17 個接近，但仄聲音步 18 個是《祝福》的 2 倍，因此，這一語段的基調顯然更為凝重、沉鬱。平仄錯雜構成的音步 28 個，與《祝福》的 27 個相近，平仄對立造成語音高低跌宕，自然具有頓挫變化。整個語段的語句可分為三類：第一類是平仄音節相等的 2、3、13

組；第二類是平聲音節佔優勢的 1、4、6、9、11、12、14 組；第三類是以仄聲音節佔優勢的 5、7、8、10、15、16、17 組。這三類語句交錯構成了頓宕的宏觀語音基調。《祝福》的頓宕，建立在單音節的平仄對立之上，所以該語段內的雙音節音步以「平仄」和「仄平」格式為主；而《故鄉》的頓宕，不僅基於音步內部的單音節平仄對立，而且擴展到相鄰音步之間的平仄對立，如第 2 組的「平平輕」與「仄仄輕」、第 3 組的「仄仄」與「平平」、第 13 組的「平平」與「仄仄輕」，因此，這一語段在音節和音步兩個層次上都構成了高低頓挫的語音格局，比《祝福》語段更集中地表現了作家的語言個性。《故鄉》語段由於仄聲音步為《祝福》語段的兩倍，因而具有比後者更深沉的語音效果，尤其是第 15 組接連用下 4 個仄聲音步，令人窒息的凝重之感撲面而來，與第 14 組的「平平平」音步構成強烈反差，猶如平原上的奔馬跌入萬丈深淵，把眼前的現實一下子逆轉到廿年前，既是深情的關愛，又是悲憤的控訴，這一切雖用極通俗的文字淡淡托出，然而文字底層的語音碰撞卻迸發出了激越不平之音，語音的頓挫沉鬱特色與語言個性的含蓄深沉是水乳交融的。《故鄉》在行文時同《祝福》一樣，寓激越於沉穩，除語段以三個平聲音節構成音步開頭外，還以句尾韻協調前後文，如「皺紋」之「紋」與「種地的人」之「人」諧韻，「棉衣」之「衣」與「松樹皮」之「皮」諧韻。如果用吳語朗誦，「通紅」之「紅」與「海風」之「風」也諧韻。這就給整個語段的頡頏不平之音染上和諧沉靜的色彩，融鑄成了含蓄深沉的語言個性，同時也為表現蘊藉精深的文學風格提供了富有個性的語音基礎。由此可見，儘管刻畫不同的人物形象所運用的語句不一樣，但由不同語句構成的語段在節奏和韻律上所表現出的語音特色卻有整體上的相似性。

茅盾的《秋收》描寫老通寶的句子語音比較緊湊，以3個音節為一個音步的不少，甚至有5個音節為一個音步的：

> 那是高撐著兩根顴骨，一個瘦削的鼻頭，兩隻大廓落落的眼睛，而又滿頭亂髮，一部灰黃的絡腮鬍子，喉結就像小拳頭似的突出來；——這簡直七分像鬼呢！❸

這一語段的平仄和音步具體情況如下：

(1)仄仄　平平輕　仄平　平仄

(2)平仄　仄平輕　仄輕

(3)仄平　仄仄仄仄輕　仄平

(4)平仄　仄平　仄仄

(5)平仄　平平輕　仄平　平輕

(6)平平　仄仄　仄平平仄輕　平平輕

(7)仄　仄仄　平平　仄仄輕

以上25個音步中，平聲音步6個，仄聲音步8個，平仄配搭的音步11個。而這11個音步中有10個平仄相互對立，造成音步內部的起伏頓宕，這就為本語段通過對人物外貌的描寫揭示老通寶的情緒變化提供了合適的語音條件。「那是高撐著兩根顴骨」，其中

❸ 茅盾《秋收》，載《茅盾全集》第8卷，人民文學出版社1985年版第338頁。

「高撐著」這個三音節音步語音緊湊，其餘全是雙音節音步，句首連用兩個仄聲音節，語調低沉，隨即高升為三音節的平調，然後低昂回環，一開始就表現出多變的語音特色。「一個瘦削的鼻頭」，由音節平仄相同的三個音步造成或緩或緊的高低變化，透露了在外貌形象描寫的文句之中對人物不安心緒的暗示。「兩隻大廓落落的眼睛」在語句中段連用四個仄聲音節，厚重深沉，與「小拳頭似的」前後呼應，編織成細密緊湊的音群，表現了既深沉又細膩的語音特色。「而又滿頭亂髮」節奏均衡，在平仄對比的基調上句末加以兩個仄聲音節構成的音步，語音效果抑揚沉穩。「喉結就像小拳頭似的突出來」與「這簡直七分像鬼呢」都以音步層次的平仄對比為基調先緩後緊，前者以平聲音節為主間以仄聲，語音鏗鏘搖曳；後者以仄聲音節為主間以平聲，語音沉重蒼涼。整個語段在音步層次「平平」與「仄仄」對立的基礎上，更偏重於依靠仄聲的重現加強語音的渾厚，因為仄聲音節易於表現語音的沉靜和力度。這個語段的音步所包含的音節數目差距懸殊，有一個音節為一個音步的，有五個音節為一個音步的，這就必然或拖長語音，使凝重感增強；或壓縮音程，使一個音步之內語音高度密集，從而顯示出雄強細密而多變的語音特色。透過穩中有變的語音節奏，很容易觸摸到老通寶不服老，努力想裝出少壯氣概的心靈隱秘；而以仄聲音節為主的沉重壓抑，又透露了他那掩飾不住的抑鬱悲傷。在這樣的語音格局下，茅盾筆下老通寶面貌的細膩描寫，始終伴隨著不服老又無可奈何的低沉抑鬱的旋律。這樣的語音基調與沉穩細膩的技巧融為一體，成功地塑造了老通寶這一感人的形象，同時也為表現茅盾磅礴工細的文學風格提供了富有表現力的語音基石。

與魯迅的蘊藉精深，茅盾的磅礴工細不同，趙樹理的文學風格樸素謹嚴，他的文學語言更多地來自二十世紀中期的農村現實生活，如《李有才板話》裏豐富多彩的快板詩，幾乎都是直接采自農民口語，經過作家加工而成，因此，他的文學語言比較樸素，語音比較明快活躍，形成了洗練樸實的語言個性，而這種個性又是構成其文學風格密不可分的重要因素。《小二黑結婚》裏刻畫三仙姑形象的一段文字，可以通過對其語音特徵的考察窺見趙樹理文學風格之一斑：

> 說有個打官司的老婆，四十五了，擦著粉，穿著花鞋。鄰近的女人們都跑來看，擠了半院，唧唧噥噥說：「看看！四十五了！」「看那褲腿！」「看那鞋！」三仙姑半輩沒有臉紅過，偏這會撐不住氣了，一道道熱汗在臉上流。❹

這段文字的平仄和音步分析如下：

(1)平　仄仄　仄平平輕　仄平

(2)仄平仄輕

(3)平輕　仄

(4)平輕　平平

(5)平仄輕　仄平平　平　仄平　仄

(6)仄輕　仄仄

---

❹ 趙樹理《小二黑結婚》，載工人出版社、山西大學合編《趙樹理文集》第一卷，工人出版社 1980 年 10 月版第 14 頁。

(7)平平平平　平
(8)仄輕
(9)仄平仄輕
(10)仄　仄　仄仄
(11)仄　仄　平
(12)平平平　仄仄　平仄　仄平輕
(13)平　仄仄　平　仄仄　仄輕
(14)平仄仄　仄仄　仄仄仄　平

在以上 39 個音步中，單音節音步 13 個，雙音節音步 16 個，三音節音步 6 個，四音節音步 4 個，單音節音步占總音步的 33%，這就表明這一語段的語調比較舒緩，因為單音節音步與多音節音步的音程相等，單音節的發音必然拖長。這些單音節音步與多音節音步間插，或緩或急，再加上相同語音構成的音步反復出現，這就造成了往復回環的旋律和跳躍性的語音特色。其中平聲音步 12 個，仄聲音步 17 個，單純的音步共 29 個，占總音步的 74%，而平仄相配的音步才 12 個，平仄對立的音步顯然退居次要地位，這就使整個語段呈現出純淨明朗的語音基調。開首一句具有很大的緩急變化，一個舒緩的平聲音步之後接著一個雙仄聲的音步，又緊跟上一個平仄相配、音節密集的音步，形成一個突起的波峰，然後以一個平仄對立的音步結句，呈現出音色明朗的高低落差和語速的快慢懸殊，這種躍動的語音組合，非常適合小閨女的年齡特徵和她宣傳新鮮事兒的那種新奇雀躍的口吻。接下來的三個語句都很樸素、簡短，分別抓住年齡、化妝、穿著三個特徵進行語音組合。「四十五了」平仄相間，語速快而高低變化大；「擦著粉」語速平緩，收尾字尤其緩慢而低沉；「穿著花鞋」語速不快不慢，音色純淨，聲調響亮平和。三句話組合起來以或緊或緩的語速，或多或少的音節組成的音步，或低或高的聲調，構成既響亮純淨，又跳躍活潑的語音節奏，既表現了小閨女轉述新奇事兒的聲口特徵，又以素描筆法勾勒出了三仙姑老來扮俏的外貌形象。短句之後緊接長句「鄰近的女人們都跑來看」，這個長句的前後都是短句，它的出現如異峰突起，不僅在語句形式上強化了長短差距造成的跳躍感，而且此句內部以兩個三音節音步與兩個單音節音步對比，快慢節奏的差別也造成了語句本身的跳躍性，顯示了一種天然活潑的語音美。從整個語段看，第 1、第 5 和第 12、13、14 組文字排列較長，它們被第 2、3、4 等 3 個短句以及第 6、7、8、9、10、11 等 6 個短句分隔為三大塊，任一大塊中每組文字包含的音節數目，都比任一短句包含的音節數目多一倍左右，這就在宏觀上形成了三個大的波峰和兩個大的波谷，呈現語句的音節組合或多或少、分佈不同的跳躍性特徵。「擠了半院」與「唧唧噥噥說」分別用兩個純仄聲音步與純平聲音步對比，形成一長串低沉音與響亮音的連奏。前者語速均衡，不緊不慢；後者語速先緊後緩，張弛自如。前者低沉的語音與擁擠的氣氛相融洽；後者長串密集的重疊音與紛擾的人聲相適應。整個語段洋溢著活潑自然的天趣，甚至多少帶有調侃的意味。活潑自然表現在不拘音節的多少，不忌諱用長串的單純音節，或三、四個音節為一個音步，或一、二個音節為一個音步，或一連串的平聲，或一連串的仄聲，好似不加雕琢，順口而出，帶有明顯的口語特徵和生活氣息。而這些似乎不假（「假」就是「借助」，古語詞）修飾的語句卻動聽悅耳，印象深刻，最根本的原因就是語音的分佈構成了優美的節奏和樂感。重疊音節的運用，像「唧唧噥噥」、「看看」、「道道」這些重疊形式並不僅僅是為了表意或渲染氛圍，值得注意的是它們處於語段的「熱點」部位，其重要的功能是以重疊悅耳的聽覺感受導引或強化視覺感受引發的意象，從而使文學意豪在視覺與聽覺雙信道信息的作用下，通過讀者的聯想使相關系列的文學意象立體化，生動化，形象化。相同音節的反復出現，也不僅僅是為了強調同一語義，它的語音功能在於構成旋律。像「四十五了」、「看那」兩次重現，形成了回環的音樂美；「擦著」、「穿著」的「著」在單音動詞末尾重現，也加強了樂感。「臉紅」與「臉上」隔句呼應，「花鞋」與「那鞋」也遙相顧盼，尤其是「看」在語段中共出現 5 次，這就使語義的表達與語音重現融為一體。音步重現與音節重現交織成的旋律，使整個語段的語音組合既具有回環跳躍感，又具有自然靈動的天趣。語音的跳躍性還表現在平聲音步與仄聲音步的間隔組合，如「看那褲腿！」「看那鞋！」這兩個短短的感歎句，在連用五個仄聲音步之後出現一個平聲音步，這個平聲音步後面接著一個三音節的平聲音步，緊跟著又是一個雙音節的仄聲音步，構成「仄——平——平——仄」的音步格局，又如「偏這會撐不住氣了」也是平聲與仄聲音步間隔，構成「平——仄——平——仄」的音步格局。這些格局裏不少單音節音步間插在多音節音步中，平仄與緩急交錯起伏，既具有較強的規律性，又活潑跳躍、切合聲口，從語音底層顯示了趙樹理文學風格的樸素謹嚴。

(二) 環境描寫的語音特色體現文學風格

環境描寫同樣從語音底層不同程度地體現了作家的文學風格。魯迅是這樣描寫 20 世紀 20 年代的故鄉的：

漸近故鄉時，天氣又陰晦了。冷風吹進船艙中，嗚嗚的響，從篷隙向外一望，蒼黃的天底下，遠近橫著幾個蕭索的荒村，沒有一些活氣。❺

這8組文字的平仄和音步分析如下：

(1)仄　仄　仄平　平

(2)平仄　仄　平仄輕

(3)仄平　平仄　平平輕

(4)平平輕　仄

(5)平　平仄　仄仄　平仄

(6)平平輕　平　仄輕

(7)仄仄　平輕　仄仄　平仄輕　平平

(8)平仄　平平　平仄

全部27個音步中，單音節音步7個，雙音節音步15個，三音節音步5個，單音和雙音節音步占總音步數的81%，而且，除一個10字以上的長句外，其餘全是10字以下的短句，這些短句一般只有3、4個音步，因而整個語段的語音基調緩慢而節奏簡短，每個音節的音程相對較長，音節對應的語詞所形成的意象容易給讀者留下較深的印象，適合於表現悠遠深沉的思緒和蘊藉精深的文學風格。從音節的組合和音步的搭配看，「漸近故鄉時」只有一個平仄對立的雙音節音步有聲調的高低對比，其他音步都是單音節，構成了由緩慢低沉逐漸變為高平的調子，恰如其份地表現了作者漸近故鄉時

---

❺ 同❷，第476頁。

的心態變化：對故鄉的深沉的思念和臨近故鄉的迫切心情。但是，故鄉並非記憶中兒時那樣的美好，「天氣又陰晦了」在兩個平仄對立的音步中插入一個仄聲的單音節音步，抑揚不平之中增添了低沉的音調，流露出作者心緒的憂鬱與惆悵。「冷風吹進船艙中，嗚嗚的響」，一開始的「仄平」與「平仄」兩個音步既對立又連用，在語音層次上透露了作者既迫切回故鄉卻又怕見到故鄉的矛盾心情。兩組短句以兩個「平平輕」的音步相銜接，著力表現冷風的音響效果，以動態的環境和重疊的音響反襯不平的心境。「從篷隙向外一望」由兩個平仄對立的音步間插一平一仄的兩個音步構成高低頓挫的基調，由於仄聲音節佔優勢而使語句帶有沉鬱的韻味。「蒼黃的天底下」以占絕對優勢的平聲音節與一個仄聲音節對比，通過對靜態環境的描寫，映襯出了作者對故鄉深藏心底的熱愛與對眼前所見的失望。「遠近橫著幾個蕭索的荒村」其中有一個音步是平聲音節與仄聲音節對立的「平仄輕」，其餘四個音步都是雙音節音步，而且是純仄聲與純平聲間插組合，從音節到音步，兩個層次全用平仄對比的格局以靜態環境反襯作者強烈起伏不平的心境。「沒有一些活氣」在兩個平仄對比的雙音節音步中間有一個「平平」這樣的純平聲音步，於頓挫之中見平靜，在平靜之中含起伏，表現了一種深沉的韻味和哀痛複雜的情感。整個語段有 10 個音節平仄對立的音步，這就在音節層次上奠定了表現頓挫文風的語音基礎。其餘音步有 9 個平聲 8 個仄聲，平仄音步的數目大致相當，這在音步層次上也顯示了平仄對立的格局，使整個語段的語音都富於抑揚頓挫的節律。由於純仄聲音步的間插運用，使平仄起伏的音律始終蘊含著一種深沉的韻味，而純平聲音步的間插運用，又為語句平添了悠遠的聯想。作為小說文本，語句形式總是長短錯落的，而且也不可能像詩詞那樣嚴格地押韻，但是，這並不意味著小說的語句不講究韻律，為了使語句能打動人，高明的作者非常注意文本內部語音的諧調和樂感，例如上文的《祝福》和《故鄉》裏刻畫人物形象的語句，就採用隔幾句押韻的方法增強語句的韻律以構成音韻的形式美。這段描寫故鄉的文字不僅採用了鄰句諧韻的方法，如第 4 組與第 5 組句末的「響」與「望」押韻，而且還採用了在句中隨機鑲嵌同韻字的方法，除第 2 組和第 8 組之外，其餘每個組都以同韻字相互呼應，「鄉」、「艙」、「響」、「望」、「黃」、「荒」，使整個語段中 ang 韻不斷重複，這就使文本富於韻律的美感。文本語音底層所具有的音響特徵，表現了含蓄深沉的語言個性，這種富於個性的語音特徵為蘊藉精深的文學風格提供了表演的舞臺。可見環境描寫的文字，是與文學風格相默契的。

茅盾的《春蠶》描寫的是 20 世紀 30 年代的農村圖景：

> 一條柴油引擎的小輪船很威嚴地從那繭廠後駛出來，拖著三條大船，迎面向老通寶來了。滿河平靜的水立刻激起潑刺刺的波浪，一齊向兩旁的泥岸卷過來。一條鄉下「赤膊船」趕快攏岸，船上的人揪住了泥岸上的樹根，船和人都好像在那裏打秋千。軋軋軋的輪機聲和洋油臭，飛散在這和平的綠的田野。❻

❻ 茅盾《春蠶》，載《茅盾全集》第 8 卷，人民文學出版社 1985 年版第 315 頁。

這 10 組文字的平仄和音步是：

⑴平平　平平仄平輕　仄平平　仄平平輕　平仄　仄仄仄　仄仄平

⑵平輕　平平　仄平

⑶平仄　仄仄平仄　平輕

⑷仄平　平仄輕　仄　仄仄　平仄　平平平輕　平仄

⑸平平　仄仄平輕　平仄　仄仄平

⑹平平　平仄　仄平平　仄仄　仄仄

⑺平仄輕　平　平仄輕　平仄仄輕　仄平

⑻平平平　平　仄仄　仄仄仄　仄平平

⑼平平平輕　平平平　平　平平仄

⑽平仄　仄仄　平平輕　仄輕　平仄

從構成音步的音節數考察，單音節音步 4 個，雙音節音步 23 個，三音節音步 14 個，四音節音步 6 個，五音節音步 1 個，三個以上音節構成的音步有 21 個，占音步總數的 44%。顯而易見，在一個音步之中包含多個音節必然表現出細密緊湊的語音特徵。音節構成音步的方式多樣，有純平聲的，如「平平」、「平平平」；有純仄聲的，如「仄仄」、「仄仄仄」；有一個平聲對兩個仄聲或三個仄聲的，如「仄仄平」、「平仄仄輕」、「仄仄平仄」；有一個仄聲對兩個平聲或三個平聲的，如「仄平平」、「平平仄」、「平平仄平輕」。聲調類型相近的音節疊加，增加了語音的力度，表現出雄渾強勁的語言個性，尤其是「平平平」與「仄仄仄」兩類音步的高低不同，具有鼓點似的語音節律，既顯細密，又見強勁，這類音步在這段文字中多達 6 個，在音節和音步兩個層次上提供了真切表現輪船霸道氣勢的語音基礎。「一條柴油引擎的小輪船很威嚴地從那繭廠後駛出來，拖著三條大船，迎面向老通寶來了」，這個語句由3組文字構成，第1組文字有7個音步，而由三個或三個以上音節構成的音步就有5個，音步內部音節的密集度高，節奏緊湊。其中有兩個音步以「仄平平」和「仄平平輕」連續構成強勁的氣勢，再加上一個三音節的純仄聲音步增加語音力度，有助於表現外國輪船在中國河流上橫行無忌的霸道形象。第2組文字的三個音步都由兩個音節構成，語音節奏均衡，音程無長短變化，且以平聲音節為主，給人以平穩的音感，與外國輪船功率大，行駛平穩的特徵相吻合。第3組文字於開頭和結尾各以一個雙音節音步共同烘托出一個四音節的音步，這個音步在三個仄聲音節中間插一個平聲音節，在低沉的調子中忽然出現一個高音，巧妙地利用語音的高低變化揭示了老通寶的心理感受。「滿河平靜的水立刻激起潑剌剌的波浪」，這組文字以四個平仄對立的音步構成動盪起伏的基調，進一步用兩個連續的純仄聲音步與一個「平平平輕」音步造成大起大落的鮮明對比，這表明語義層面對靜水與激浪一靜一動相互映襯的描寫有相應的語音依託，因而造成了如聞其聲，如見其形的生動效果。「一齊向兩旁的泥岸卷過來」，這組文字除用一個純平聲音步增強氣勢而外，主要依靠音步內部的平仄對立營造動感，而動感的力度主要依靠「仄仄平輕」與「仄仄平」的語音重複來加強，並以此與語義層面所描寫的激浪卷岸的內容相默契。「一條鄉下『赤膊船』趕快攏岸，船上的人揪住了泥岸上的樹根，船和人都好像在那裏打秋千」，這個語句的語音重點是渲染急迫的環境氣氛，因此多音節的音步較多且連成一串，表現出來的語音特徵必然是以音節的密集度來構成緊湊的音律。這個語句一方面運用「平平」與「仄仄」、「平平平」與「仄仄仄」的對比來表現衝擊波的起伏和強度；另一方面又以單音節音步與三音節、四音節音步的連用來造成張弛有節的緩急變化，使整個語句的語音既緊湊而又適度，留有想像的空間。語義內容與語音形式結合得最為成功的是「平仄輕」——「平」——「平仄輕」和「平平平」——「平」——「仄仄」——「仄仄仄」這兩種音步搭配。漢語的單音節音步的實際發音，就音程的長短而言，跟雙音節、三音節一樣，所不同的是單音節音步發音從容舒緩，多音節音步發音緊湊急促。以上兩種音步搭配的語音效果分別是「起伏、急」——「高、緩」——「起伏、急」；「高、急」——「高、緩」——「低、稍緩」——「低、急」，這樣的語音格局對於表現波浪的規律性衝擊以及船和人受到衝擊時發生搖擺的形象是非常合適的。「軋軋軋的輪機聲和洋油臭，飛散在這和平的綠的田野」，這兩組文字一緊一鬆，緊湊的那組文字以三、四個音節構成的音步為主，寬鬆的那組文字以雙音節的音步為主，兩組文字以語速的快慢對比，映現了外國先進的工業技術與中國農村落後的自然經濟之間的反差。第 9 組文字以長串的平聲音節連成一氣，著力描寫輪機發出的音響與氣味。第 10 組文字則以「仄——平——仄」相間的音步格局與平仄音節對立的音步相配，曲折跌宕，含蓄地從客觀描寫的語句中透露了對音響與氣味所產生的影響的主觀評價。第 9 組文字的 11 個音節中有 10 個是平聲，僅最末一個是仄聲，前三個純平聲音步宏亮高亢，既突出了轟鳴的輪機聲的音響效果，又從由急變緩的語速聯想到音響與洋油氣味的逐漸擴散。整個語段的 48 個音步中，純平聲音步有 14 個，這就使一部份語句音色傾向於響亮高亢，而全段的9個純仄聲音步又使一部份語句帶上了凝重雄渾的色彩。整個語段語音的基本特徵是由平聲或仄聲各自密集巧妙搭配而成，往往出現一長串平聲或一長串仄聲，在長串的語音鏈上很少出現單獨的平聲或仄聲，這種聚集相同類型的音節或音步的組合方法，易於加強語音的表現力度。本語段的10組文字中有8組的字數超過10字，語音鏈較長，便於對環境或事物展開細緻的描寫。三音節以上的音步多達 21 個，這些音步內的音節密集度高，與長串平聲的響亮高亢或長串仄聲的凝重雄渾相配合，是磅礡工細的文學風格在語音底層的具體表現。這段文字多長句，不僅以描寫的細膩和氣勢的雄強見長，而且鏗鏘上口，原因一是由於「潑剌剌」、「軋軋軋」造成了音韻重疊美，二是「駛出來」與「卷過來」、「攏岸」與「秋千」押韻，三是「船」這一音節在語段中出現5次，「岸」出見3次，形成了往復回環的旋律美。

趙樹理的《李有才板話》對 20 世紀 40 年代閻家山環境的描寫，為當地即將掀起的階級鬥爭風暴埋下伏筆：

> 閻家山這地方有點古怪：村西頭是磚樓房，中間是平房，東頭的老槐樹下是一排二三十孔土窯。地勢看來也還平，可是從房頂上看起來，從西到東卻是一道斜坡。❼

❼ 趙樹理《李有才板話》，載工人出版社、山西大學合編《趙樹理文集》第一卷，工人出版社 1980 年 10 月版第 17 頁。

這段文字的平仄和音步情況如下：

(1)平平平　仄　仄平　仄仄　仄仄

(2)平平平　仄　平平平

(3)平平　仄　平平

(4)平平輕　仄平仄輕　仄　平平　仄平平仄　仄平

(5)仄仄　仄輕　仄平　平

(6)仄仄　平平仄仄　仄輕輕

(7)平平　仄平　仄仄　平仄　平平

以上 29 個音步中平仄對立的音步才 8 個，而純平聲音步和純仄聲音步卻分別有 10 個和 11 個，這表明利用音步內部的音節對立造成高低起伏不是本語段的主要特徵，它的語音特徵主要表現在音步層次。運用同類型音節構成的音步在語音序列中的組合能夠在更大跨度上凸現語音的變化，類型不同的音步的間隔性組合顯示出跳躍性特徵，易於表現活潑靈動的文學風格。第 2、4、6 組文字各個音步包含的音節數多寡懸殊，每個音節的音程變化或長或短，語音對比反差大，富於跳躍性。第 1、3、5、7 組文字以兩個音節構成的音步佔優勢，每個音節的音程長短變化不顯著，節奏較為平穩。這兩類不同特徵的語音序列恰好成奇偶格局交錯分佈，形成穩中有動的語音效果。整個語段的文字按音步的平仄情況可分為三種類型，第一種以平聲為主，只有個別仄聲，如第 2、3 組，一個仄聲的單音節音步夾在兩個平聲的多音節音步之間，語音起伏很大。第二種以仄聲為主，如第 1、5、6 組，沒有或只有一個平聲音步，語音較為沉著平穩。第三種是平、仄聲音步與平仄對立的音步相互搭配，構成音節和音步兩個層次語音的高低起伏變化。這三類語音序列的配合運用，使整個語段呈現出沉穩而不失靈動的語音特色。

各組文字的語音特徵與語句的意義表達有一定的聯繫，如第 1 組「閻家山這地方有點古怪」，基本的語音格局是以較多的仄聲音步造成沉著平穩的語音效果，在沉穩之中又稍加變化，用一個三音節的純平聲音步提升語音的高度，以引起對「閻家山」的關注，又用了一個平仄對立的雙音節音步打破一連三個仄聲音步造成的凝重語調，使這組文字凝重卻不失於呆板，與階級鬥爭風暴來臨之前，閻家山沉靜之中卻蘊含革命火種的環境氛圍相融洽。第 2、3 組「村西頭是磚樓房，中間是平房」採用「平——仄——平」的格局構成「高——低——高」反差鮮明的語音跳躍，借助音步語音的高低變化凸現「村西頭」與「中間」的差別在於「磚樓房」與「平房」，接著，第 4 組文字以一個富於平仄變化的長語音序列展現閻家山最貧苦階級的居住處所，從住房的建築形式揭示階級層次的不同。這個長語音序列一方面採用仄聲音步與平聲音步連用造成語音跌宕，另一方面靠音步內部音節的平仄對立加大語音起伏，而且，單音與雙音節音步語速舒緩，三音與四音節音步語速急促，這兩類音步交錯組合，就形成了或慢或快，或高或低，起伏多變的語音特徵，用這樣的語調表述閻家山貧苦農民的居住現況是頗有深意的，這表徵貧苦農民內心蘊含著對現實的不平之情和求變的思想，為下一步階級鬥爭的展開埋下伏筆。「地勢看來也還平」除最末是單音節的平聲音步外，其餘都是雙音節音步，語速不緊不慢，以沉穩的仄聲音步為基調，末尾語調升高，於沉靜中顯不平之意，利用同一組文字前後音步平仄造成的反差，暗示地勢雖平而不同階級的社會待遇不平。「可是從房頂上看起來」以仄聲音步為主，語調凝重。

由於這組文字是由雙音節、四音節、三音節這三個音步組合而成，語速由慢變快，與第 5 組文字快慢適中形成對比，這就有助於凸現「從房頂上看」與從「地勢看」得出的不同觀感。「從西到東卻是一道斜坡」全由雙音節的音步構成語音序列，語速適中，節奏整齊，但語音的高低變化大。在音節層次上，「仄平」和「平仄」這兩個音步內部的音節平仄相反，在語音序列中處於「仄仄」這一音步的前面和後面，位置對稱，語音高低互補，造成整齊而靈動的音感。在音步層次上，這組文字以「平平」——「仄仄」——「平平」的語音格局為主幹，每兩個純音步之間各插入一個平仄對立的音步，使語音既具有整齊的節奏感又具有跨度不同的跳躍性。就整個語段看，既沉穩而又靈動，為表現樸素謹嚴的文學風格提供了相得益彰的語音基礎。

通過以上分析不難發現，魯迅擅長運用節奏緊迫與平仄變化大的短句，造成沉鬱頓挫的語音效果，以準確深刻而蘊含古代文言優點的語詞，融會了洗練的句法，顯示出含蓄深沉的語言個性，這是形成魯迅蘊藉精深文學風格的基礎。茅盾喜用節奏凝重與平仄密集的長句，造成渾厚舒展的語音效果，加上綺麗細密的語詞和明晰周詳的句法，表現了雄強細密的語言個性，這是形成茅盾磅礴工細文學風格的重要因素。趙樹理善於運用節奏靈活與平仄類型多變的短句，造成活潑自然的語音效果，以生動、平易的語詞和吸收了口語菁華的簡煉句法，構成了洗練樸實的語言個性，這種語言個性與趙樹理樸素謹嚴的文學風格有直接聯繫。魯迅、茅盾、趙樹理都是偉大的現實主義作家，他們描寫不同時代的農村題材的小說都取得了卓越的成就，但是，由於他們各自運用的文學語言的語音特色不同，聲律美學的審美效果不一樣，表現出的語言個性也就有明顯的區別。而語言個性是形成文學風格的重要基石，因此，文學語言不同的語音特色，由於提供的聲律美學基礎不一樣，反映出的文學風格也就不同。離開了文學語言的聲律美學追求和語言個性的獨創，就無所謂文學風格。

三、東南亞華文文本的文學語言審美

㈠ 小說、散文的語音審美

詩歌從古以來就是非常講究語音藝術的文學體裁，這是人所共知的常識。至於一般的小說和散文，就未必那麼重視語音藝術的運用，而且人們對小說和散文的音樂美，原本沒有對詩歌那樣高的要求。尤其是在當代詩歌語言已消解為一些參差語句的隨意排列之際，語音藝術在詩歌裏亦屬難覓，更無論小說、散文了。有幸的是，東南亞不少華文小說和散文的作者，竟然借鑒了詩歌的優良傳統，使得原本不必講究語音藝術的文本，洋溢著漢語的平仄對比、押韻和諧、節奏整齊的音樂美，這應當是東南亞華文小說、散文與國內不同的一種語音藝術特色。本文擬考察一些作家構成文本音樂美的藝術技巧。

1. 靠漢字的平仄對比造成語音美感

新加坡作家駱明是最擅長於運用漢字的平仄對比來構成語音高低長短變化的專家，可以隨手舉出兩段散文予以說明。一是《漢堡——工業的城》，❶其中的一段文字完全可以排成詩行的形式：

在市中心，漢堡還有一大人工湖。
湖很大，煙波浩瀚，水天一色。
有湖，有水，就使這市區平添了不少嫵媚。

---

❶ 《漢堡——工業的城》，載駱明《駱明文集》，海峽文藝出版社 1997 年 12 月版第 26－27 頁。

湖上有遊湖的遊艇，有葉葉扁舟，揚帆湖中，另有一番情趣。

白鵝悠遊湖上，這兒是它們的家。

海鷗在飛翔著，自由自在，那是它們的天地。

以句號為標誌，每句末尾的漢字與相鄰語句末尾的漢字構成了不同的語音對比：「湖」、「媚」、「家」都是平聲，音調高平而悠揚；「色」、「趣」、「地」都是仄聲，音色短促而收斂。這樣一長一短，一揚一斂，一高一低有規律地變化，就造成了語音的美感，豐富了文本的美學內涵，使散文語句有如詩一般的意境，讀來不但有藝術形象的想像空間，而且有與藝術形象水乳交融的聽覺想像空間。再看《漁港·渡輪·村莊》❷裏的一段文字：

車又駛離市區，車在郊區奔馳。

滿眼都是麥浪翻動，牛群處處。

「過春風十里，盡薺麥青青。」

看盡一片青翠，一片金黃的麥田。

這段散文以語句為單位重新排成詩行，它的語音效果從兩個層次上體現出來。首先是語句內部的對比：「里」與「青」，「翠」與「田」，都是仄聲與平聲對比；其次是語句之間的對比：「區」、

❷ 《漁港·渡輪·村莊》，載駱明《駱明文集》，海峽文藝出版社 1997 年 12 月版第 28－29 頁。

「馳」兩個停頓處的音節與相應位置的「動」、「處」兩個音節，是平聲與仄聲的對比。這4個語句有8處停頓，構成了平——平、仄——仄；仄——平、仄——平的整齊對應格局，造成了既有變化又和諧悅耳的語音形象。

2.靠漢字的押韻造成語句的和諧

第一種情況是押相同的韻，如印尼作家黃東平《豪雨即景》中有這一段描寫：「雨頭打在熱騰騰的柏油路面，遠處竟一片塵霧彌漫。但才一轉念，雨點已迎面撲來，一大點才打在我頭上，十幾大點已打在我身上，待衝到屋簷下，我已濕透了大半肩……熱帶的紅太陽又偷偷露了臉。一抬頭，才看見天上鬱積低沉的雲翳，不知什麼時候已給抹拭得乾乾淨淨，眼前正展現一片高曠無際的藍天。」

如果不計較介音，靠著字裏行間的同韻漢字「面」、「漫」、「念」、「肩」、「臉」、「天」，使整段文字變得酣暢和諧，由於押韻的仄聲字占多數，語音的短促特徵與豪雨的乍來急收相得益彰，給人以如臨其境，如聞其聲的真切感受。馬來西亞作家林辛謙《破碎的話語》中有的語段也運用了同韻相押的手法，如「千春過盡，千秋重臨，我重複著前人的心路歷程，黯黯繁簡，領略於心。」❸其中「盡」、「臨」、「心」押韻，使環境與心境前後印照，融會統一於相同的語音形象，產生了令人回味的藝術效果。

第二種情況是分別押不同的韻，如菲律賓作家陳天懷《春風浩

---

❸ 林辛謙《破碎的話語》，載鍾怡雯《馬華當代散文選》（臺灣）文史哲出版社1996年3月版第42頁。

蕩拂椰廬》的這段話：「春風浩蕩曾帶給我幸福和歡娛，也曾帶給我艱危和恐懼，那椰林氣息，綠野夭姬，我為它陶醉，為她傾倒。」

這段話共有6個語音停頓，前兩個語音停頓以「娛」、「懼」押韻，使相互對立的語義內涵借助相同的韻腳得以構成和諧的語音形象。中間兩個語音停頓利用「息」和「姬」相押而把自然形象與人物形象融為一體，後兩個語音停頓雖不押韻，卻借助於相同的語法結構而歸為一類。前後兩組語音停頓所押的韻雖然不同，卻分別塑造了和諧的語音形象，揭示了語段的思想層次。

第三種情況是押交錯韻，如馬來西亞作家寒黎《以後你是一種姿勢，常存在我的眸裏》的一段文字：

> 時間靜止，只聽得天籟如《彌賽亞》突地唱起。這個時候最適合我再對你述說一個成為過去式的故事：你敞開身上的衣物，泅游於夜之瀚海裏。❹

這段文字中「止」與「事」，「起」與「裏」交錯相押，造成兩種既對立又統一的語音形象，與語義層次上動與靜兩種狀態的既對立又統一配合和諧。新加坡作家姚紫《窩浪拉裏》也有這樣一段話：

> 在叢林中，濃密的綠色，新鮮的空氣，清脆的鳥語，稀疏的

---

❹ 寒黎《以後你是一種姿勢，常存在我的眸裏》，載鍾怡雯《馬華當代散文選》（臺灣）文史哲出版社1996年3月版第210頁。

陽光，構成了詩般的天地，那是多麼令人想不到的戰亂中的遭遇！❺

其中「氣」與「地」，「語」與「遇」交錯押韻，把自然形象「空氣」、「鳥語」與人的心靈感受「詩般的天地」、「令人想不到的戰亂中的遭遇」交織在一起，以兩種不同的語音形象暗示了表面美好的自然形象背後所隱藏的痛苦經歷。一般說來，運用交錯韻便於塑造對立的語音形象。如果要造成既對立又統一的語音形象，兩類韻腳應當有比較接近的音色。寒黎和姚紫的上述兩段文字正好具備這一特徵，「止」、「事」與「起」、「裏」的韻母雖然不同，但音色比較接近。「氣」與「地」的韻母是 i，「語」與「遇」的韻母是 ü，兩類韻母都是單元音，音色相近，僅有齊齒與撮口之分。由此可見，作家在塑造語音形象時，對漢字韻腳的選擇和配搭是頗具匠心的。

3.靠相等音節的並列造成整齊的節奏

只要運用相等的音節並予以相同的語音間歇，就會構成節奏。富於節奏的文本則具有相應的語音效果。東南亞華文作家構成文本節奏有如下方式：

(1)單音節並列

新加坡作家尤今的《完人》：「她翩翩起舞，手足如蛇，柔若

---

❺ 姚紫《窩浪拉裏》，載楊越、陳實《新加坡華文小說家十五人集》，花城出版社 1988 年 6 月版第 67 頁。

無骨，輕、俏、巧、靈，舞畢回眸而笑，媚由骨生。」❻《生死線上的掌聲》:「四條腿，好似螃蟹的鉗一樣，陰、毒、狠、辣。」❼

⑵雙音節並列

馬來西亞作家許裕全《長夜將近》：「時間停止了流動。各種影像在我腦海中捶碎、拆散、游離、併攏組合。」❽印尼作家黃東平《赤道線上》：「遠山，近村，樹叢，田畝，在他身邊載浮載沉。」❾

⑶三音節並列

馬來西亞作家黃錦樹《光和影的一些殘象》：「走過無數青春的身影，而泰半只是青春在衣著上，窄裙、長裙、牛仔褲。沒有笑容的臉。蘿蔔腿、鷺鷥腳。扁平族、炮彈族。苦瓜臉、草莓臉、瓜子臉。」❿《赤道線上》：「聽那奔跑聲、呼喊聲、那氣氛、那情景，彷彿四周的地面也會搖動，天也在呼呼地響！」⓫

⑷四音節並列

尤今《敝帚父珍》：「圓圓的眼，明察秋毫；圓圓的臉，長年

---

❻ 《完人》，載尤今《浪漫之旅》，浙江文藝出版社 1991 年 9 月版第 155 頁。

❼ 《生死線上的掌聲》，載尤今《浪漫之旅》，浙江文藝出版社 1991 年 9 月版第 140 頁。

❽ 許裕全《長夜將近》，載鍾怡雯《馬華當代散文選》（臺灣）文史哲出版社 1996 年 3 月版第 328 頁。

❾ 黃東平《赤道線上》，鷺江出版社 1987 年 11 月版第 485 頁。

❿ 黃錦樹《光和影的一些殘象》，載鍾怡雯《馬華當代散文選》（臺灣）文史哲出版社 1996 年 3 月版第 218 頁。

⓫ 同❾，第 417 頁。

含笑。」⓬

尤今《林中水上逍遙遊》：「我目前的生活，就好像是一葉木筏，隨水而流，順心而去，沒有鬥爭、沒有傾軋；賺多賺少、要賺不賺，全隨我意。」⓭

(5)五音節並列

尤今《祖孫共圓一個夢》：「怡保的火車站，古老而陳舊，腐朽的木椅，一排又一排，寂寞地橫陳。」⓮

(6)相同數目的音節對應排列

《風情萬種的小城》：「寺內，信徒如湧，誦經之聲，不絕於耳；寺外，群燕飛繞，啁啾之聲，不絕如縷。」⓯

尤今《山城歲月》：「粉紅的、紫紅的、鮮紅的九重葛，快活地、絢爛地、任性地綻放著。」⓰

尤今《果園之戀》：「長長的枝椏，是秋千；細細的果蒂，是手臂。」⓱

⓬ 《敝帚父珍》，載尤今《尤今散文選》，百花文藝出版社 1991 年 3 月版第 15 頁。

⓭ 《林中水上逍遙遊》，載尤今《浪漫之旅》，浙江文藝出版社 1991 年 9 月版第 129 頁。

⓮ 《祖孫共圓一個夢》，載尤今《尤今散文選》，百花文藝出版社 1991 年 3 月版第 22 頁。

⓯ 《風情萬種的小城》，載尤今《浪漫之旅》，浙江文藝出版社 1991 年 9 月版第 26－27 頁。

⓰ 《山城歲月》，載尤今《尤今散文選》，百花文藝出版社 1991 年 3 月版第 131 頁。

⓱ 《果園之戀》，載尤今《尤今散文選》，百花文藝出版社 1991 年 3 月版第 107 頁。

(7)不同數目的音節分組並列

《一年只活四個月的伊甸園》：「遊客驚人地多，旅館滿、餐館滿、酒廊滿、舞廳滿。水裏、岸上、車裏、路上，擠滿的，全都是人、人、人！」⑱

《阿拉伯的香水故事》：「器皿以內，滿滿地盛著晶亮清澈的香水，色彩繽紛，舉目望去，有鮮豔的紅、醒目的黃、嬌麗的橙、羅曼蒂克的紫、怪裏怪氣的青，等等等等。」⑲

不同音節群有不同的節奏感。由單音節停頓造成的節奏比較淩厲響亮，適於表達個性鮮明的形象特徵；由雙音節停頓造成的節奏比較整飭穩重，塑造的語音形象與文本意象配合默契，有利於拓展一連串意象構成的意境；三音節停頓比較活潑，其節奏較為舒展，它常用來打破長句的沉寂和雙音節音步的習慣框架；四音節停頓比雙音節停頓更為穩重而且雍容大度，其信息量常常超過構成成份的漢字表層信息，因而成語大都採用四音節結構。四音節停頓往往意味著意象群的分組，並列的四音節結構借助停頓產生的節奏，使意象群既相互區別，又相互融會為相似的語音形象；五音節停頓很少運用，原因在於五音節結構通常是由兩個雙音節成份加上連接詞或由一個三音節加上一個雙音節成份構成，這樣，它實質上存在 2——1——2、2——3 或 3——2 這樣的心理停頓，因此，它以緩慢從容的節奏表現的意象往往帶有描寫的意味；至於相同數目的音節

⑱ 《一年只活四個月的伊甸園》，載尤今《浪漫之旅》，浙江文藝出版社 1991 年 9 月版第 30 頁。

⑲ 《阿拉伯的香水故事》，載尤今《浪漫之旅》，浙江文藝出版社 1991 年 9 月版第 102 頁。

對應排列，是語段節奏整齊劃一的不二法門，因此，古代韻文與現代文本中的對偶句，都採用這種方式排列。儘管表現不同意象可以採用不同數目音節的靈活組合，語段內部的語音形象之間未必節奏一致，但由於每個不同的音節組合必有其對稱的成份，因而在語段宏觀層次上仍然保持節奏整齊。不同數目的音節分組並列的效果與此相反，它不求語段宏觀節奏的整齊，卻力求語段之中各意象群以音節的不同構成不同的節奏，從而使語段節奏產生波瀾而相互區別。但在同一語段之中的不同音節群，仍以相等音節數目而在微觀層次上保持相對的整齊和諧。

㈡ 小說的語詞藝術審美

東南亞華文小說是用漢字書寫的，它的文學語言與漢民族的語言和文字有著密切的關係。但是，由於不同國度的政治、思想、經濟、文化、風俗和語言等多種因素的影響，東南亞華文小說的文學語言具有與當代中國小說不同的特點。

首先，東南亞華文小說的文學語言表現出鮮明的地域特點。這種特點在作家筆下通過詞語的精心組織而自然流露出來。翻開新加坡作家趙戎的小說《芭洋上》，一股強烈的南洋氣息撲面而來：「呵，別了！那寂寞的小城，那濃厚醉人的椰花香，那樸素耿直的居民，那鱷魚出沒的雲邊河，那綠油油的曼格羅叢，那沉默寡言的馬來船夫……」這段文字以極具地域特點的文學語言辭彙，突出地表現了東南亞的自然風貌。就在這篇小說裏，「棕櫚的羽葉」，「巫羅金樹新綠的嫩芽」，「迎風而舞的葵扇樹」，「開著白花的斯茅草」等短語，無不是抓住具有東南亞特徵的事物著筆，這就使東南亞華文小說的文學語言與當代中國小說有了明顯的區別。文學語言辭彙，是文學文本地域風格的一個標誌。以富於地域特徵的辭彙來描寫自然風貌和人物形象，從而形成自己文學語言特色的華文作家並不少見。如泰國作家巴爾在《被遺忘的人》裏描寫雨景：「兀地一股風暴掠空而過，一陣淅瀝的豪雨從天而降，驟然街邊積水盈尺，行路艱難。」這段文字突出了熱帶海洋氣候的特徵，表現了東南亞與中國的溫帶、亞熱帶氣候的明顯差異，運用有地域特徵的詞語造成了如臨其境的效果。印尼作家黃東平的小說《女傭細蒂》有這麼一段文字：「老易蔔拉欣眯垂的眼皮陡然睜得滾圓，那反映的迅速，有似躺在水裏裝死的鱷魚突然用巨尾摔打闖到岸邊喝水的麋鹿，快到叫人咋舌。」這段話裏的比喻句，選擇了南洋盛產的鱷魚來比喻陰險兇惡的地主，非常生動貼切，叫人一看就知道當代中國作家不可能嫻熟運用這麼切合地域特徵的比喻句。可見，利用富於地域特徵的辭彙來描繪自然環境風貌，選擇具有地域特徵的語詞來刻畫人物形象，是東南亞華文小說文學語言的一個特點。

其次，東南亞華文小說裏有些經常運用的語詞是當代中國小說所沒有的。這些語詞反映了當地的社會政治、經濟、文化各方面的情況，包含了很豐富的信息，同時，由這些語詞構成的文學語言，增強了華文小說藝術地表現現實生活的力度。正是這些語詞表明了東南亞華文小說文學語言的獨特性。例如泰國作家巴爾《被遺忘的人》：「那是現今流行泰華社會的一套，何況在八十年代的核子時代，不擺場為僑領煊顯一番，世人哪會知道清水兄是現今泰華社會財產論億計的僑領哩。」這段文字裏的「現今」、「泰華社會」、「核子時代」、「擺場」、「僑領」、「煊顯」、「世人」等語詞，在當代中國小說中幾乎見不到。這篇小說裏的「假寢」、「措理」、「梟吞」、「洋行」、「頷首」、「茶霸」、「怯怕」、「什工」等等，當代中國小說根本不用。馬來西亞作家韋暈的《春汛》裏出現的「頭家」、「頭手」，方北方《殘局》裏的「麻雀牌」、「舞女媽咪」，趙戒《芭洋上》的「酸疲」、「鴨腳菜」、「擔挑」，馬來西亞作家雲裏風《俱樂部風光》的「唐茶」、「朱律煙」、「紅毛妹」、「爛蕉會」、「架步」、「割名」、「牛腩粉」，中國小說也沒有這些語詞。至於華文小說裏常用的「唐山」一詞，並非城市名稱，而是指中國。「唐茶」就是中國產的茶，「唐瓷」是中國產的瓷器，「唐人」也就是中國人。這些當代中國小說沒有的語詞，成為華文小說文學語言的一道獨具特色的風景線。

再次，當代中國小說很少運用方言語詞，有的作家群體，如山藥蛋派作家比較注意化用當地方言，但在強調普通話規範的環境裏，方言成份畢竟很少。至於以化用南方方言為特色的當代中國小說至今尚未出現。而東南亞華文小說則普遍化用粵、閩、客方言的語詞和句法，並且形成了明顯的文學語言特色。雲裏風小說裏的「好睡」、「衰仔」、「偷食」、「豬寮」就是方言語詞。他的小說《卡辛諾》寫李進財與趙老闆的對話，方言色彩非常濃厚：「『呀！佢就係莊太太？』李進財吃驚地叫起來。『當然係了，呢的係一單生意，你估我趙某人真會傻得甘交關，肯花四萬元去玩一次破碗？哪！聽講佢既老公後日就要返來，邊個唔知莊先生係個大富翁，閑閑地有幾百萬身家……』」我們不提倡在文學文本中過多地用方言，但吸收方言裏有營養的成份來豐富文學語言，是使文學語言保持旺盛生命力的一條途徑。東南亞有不少華文小說都吸收了一定數量的方言語詞。如菲律賓作家林泥水《恍惚的夜晚》有「蟳」、「蟳股腳」、「鱟」、「豬母」；泰國作家司馬攻《探親奇遇》有「喉乾想食河中水，想起家鄉目汁流」，《金表的故事》有「愈愛臉，愈無臉」；苗秀的《流離》有「睇」、「板厝」、「困著」、「屋租」、「舊家」；韋暈《春汛》有「魚寮」、「網罟」；方北方《殘局》有「紅毛樓」、「門限」；趙戎《芭洋上》有「晏晝」、「仔」、「米食」、「種禾」、「腳支」、「估輸」、「赤佬」、「舢舨」、「好搵」、「滾水」等等。方言語法的融入也使東南亞華文小說的文學語言表現出與中國小說不同的特色。趙戎的《芭洋上》有這麼一句話：「州府地種禾一年有兩三道好收成」，其中量詞用「道」不用「次」。還有一句話：「酒嗎？在新村是應該有得賣的……不過，太貴了，動不動就幾百塊錢一枝。」其中「有得賣」普通話沒有語氣詞「得」，這個「得」就很有方言特色。普通話論酒用「瓶」，方言用「枝」，量詞不一樣語言特色也就不同。巴爾《被遺忘的人》有「一架計程車」，「一條毛髮」，都以方言量詞「架」、「條」來組織語句，不用普通話的「輛」和「根」。苗秀的《流離》裏有句話：「你是海峽殖民地的土生麼？」按普通話的說法應該是「你是海峽殖民地土生的麼？」普通話用「的」字短語「土生的」，而方言語法卻習慣用定語直接限定「土生」，由此可以看出文學語言的特點與方言語法是密切相關的。《流離》還有個語句：「他老一住走路一住想」，這裏的「一住……一住」與普通話的「一邊……一邊」語言色彩不一樣，前者具有明顯的南方方言色彩。由於南方方言語法的影響，東南亞華文小說裏有的語句也表現出與當代中國小說不同的語序特色。如

《被遺忘的人》「三幾十年來的友情」，《芭洋上》「快來摘多點呀」，「再要走，也得充實饑腸一下才成吧」，《女傭細蒂》「自己這三幾十年來」，雲裏風的《俱樂部風光》「快點給奶他吃」。中國當代小說基本上都按普通話的語法規則造句，絕不會說「三幾十年」，而是「三十幾年」。「摘多點」一般應是「多摘點」，副詞放在動詞之前，不會像南方方言那樣狀語副詞後置。「充實饑腸一下」普通話語序應是「充實一下饑腸」。「快點給奶他吃」應是「快點給他奶吃」，南方方言裏間接賓語與直接賓語的位置正好與普通話相反。這些方言語詞和方言語法融合在小說的文學語言裏，使東南亞華文小說的文學語言獨具一格。

當代中國小說的文學語言在相對單純的語言環境中，較少受到國外語言的影響，而東南亞各國的華文小說家生活在不同的國度，必然受到該國語言或當地土話的影響。不同國度的語言和不同地方的土話被吸收到漢語裏來，形成了華文小說文學語言的又一特色。黃東平的小說《女傭細蒂》堪稱這方面的代表作。小說開篇第一句話就是：「這裏將講述一名『峇務』（某地域語言，女傭音譯）一生的經歷」，作者用括弧交待了「峇務」的來源。凡是從當地語言吸收的語詞，作者都在括弧裏標出了語詞的意義或者在行文時作了說明。如「只圍著半截紗籠（筒裙）的十歲上下的女孩」就在括弧裏標出了詞義，而「上身的當地『卡峇耶』女上衣又破又髒」則隨文說明了「卡峇耶」是一種女上衣的名稱。類似的語詞還有「亞答」（棕櫚葉等編成的茅板）、「耶」（是的）、「哇影」（一種牛皮傀儡戲）、「沙峇爾」（忍耐）、「伯爾迷西」（請准許）、「卡多卡多」（一種食品）、「勁格爾」（開掌時拇指尖到中指尖的距離）、「掛沙」

（進入「禁食月」）、「魯拉」（村長）、「惡勿弄」（上帝責罰）、「拉剌格冷」（血乾症）、「峇爸」（稱父親並任何老者）、「西阿兒」（衰）、「娘惹」（已婚婦女）等等。作家吸收當地語言的辭彙，以音譯為主，同時也兼顧漢語的意義和文化特點。如「峇爸」和「娘惹」都是音譯詞，但考慮到漢人對父輩、母輩的稱呼習慣，選用了「爸」和「娘」作為構詞成份。又如把當地語的筒裙譯為「紗籠」，把上帝責罰譯為「惡勿弄」，都注意到漢語的詞義和文化特點。用「端勿殺」音譯荷蘭語「大老爺」，生動地揭示了統治者與被統治者之間的階級壓迫關係。用「坷埠」意譯港口城市的名稱，不但切合漢語的詞義，名副其實，而且適合漢語的構詞規律。至於「烏吝木」、「爛芭地」，讀音是當地的，意義則是漢語的，當地語與漢語緊密融為一體。這些新鮮的語詞是形成東南亞華文小說文學語言特色的重要因素，也是她與中國小說文學語言相互區別的重要標誌。不少華文小說作家還把當地語詞音譯的成份與漢語的詞素相互結合構成新詞，如苗秀《流離》的「山芭」、「阿答厝」、「羅厘車」，其中「芭」、「阿答」、「羅厘」是當地語詞音譯的，而「山」、「厝」、「車」則是漢語詞素。韋暈《春汛》的「亞答屋」、「芭頭」、「芭邊」、「芭地」、「甘夢船」、「甘夢魚」，其中「亞答」、「芭」、「甘夢」也是當地語詞音譯的，「屋」、「頭」、「邊」、「地」、「船」、「魚」都是漢語詞素。《芭洋上》的「芭洋」、「開芭從」、「耕芭的」、「芭屋」、「芭場」、「芭林」這一串語詞，除「芭」是當地語詞音譯的而外，其餘全是漢語詞素。當然也有純粹音譯的當地語詞，如《春汛》的「甘榜」（鄉村）、「羅哩」（貨車），雲裏風《相逢怨》的「瓜得」（死去）、「麻麻地」（過得去），《望子成龍》的「巴剎」（菜市場），《黑色的牢門》的「幹仙」（傭金），泰國作家司馬攻《他再也不是一個笑話了》的「邦乃」（去哪裏）、「門脆」（胡亂）、「沙越哩」（你好）等。這些中國讀者看來比較陌生的語詞，正是華文小說文學語言獨創性的表現。

與中國小說很少引用英文相反，東南亞華文小說直接引用英文比較常見。例如雲裏風寫的小說就有這種語言特色。他的小說直接運用英語詞句的如：《相逢怨》裏的 Cas（煤氣）、Lo usy（差）、Ice cream（冰淇淋）、Notice（通知）、Jaga（守門人）；《望子成龍》裏的 Pass（及格）、Shopping（買東西）、Good morning，How are you（早安，你好嗎）；《慈善家》裏的 Gancer（白細胞過多症）、Leukaemia（血癌）。此外，印尼作家林萬里的《結婚季節》裏有 INDOPALACE、FREE MEAL。汶萊作家煜煜的《圈套》裏有 TOYOTA、SORRY、WHAT。菲律賓作家林泥水的《恍惚的夜晚》裏有 GOLDEN STAR HOTEL。新加坡作家張曦娜的《都市陰霾》裏有 Samsonite、artwork、private & Secret。英語作為一種國際性的語言，對東南亞國家有著長期的影響，東南亞華文作家在漢語中夾用少量英語詞句，形成了華文小說與中國小說不同的文學語言特徵。但是，東南亞華文小說家們並非消極地引用英文，而是有選擇地把英語裏的某些成份吸收到漢語裏來，融化為漢語的成份。吸收的主要手段是把英語音譯為漢字。如雲裏風的小說裏就有音譯語詞「吉」、「計程車」、「貼士」、「巴士」、「派對」、「嬉皮士」、「卡辛諾」等等。林萬里的小說《結婚季節》有段文字：「阿貴哥的汽車在路上大約跑了半個小時，就到達一座綜合性大廈

——『引渡迫來殺』（暫時如此音譯，因為洋文寫 INDOPALACE，目前世界各地時興以 PALACE 命名大建築物），杏花樓就在該大廈第八層樓上。」這段話足以表明華文小說家是非常注意吸收融化英語辭彙的，而且在音譯時充分考慮到漢字所表達的意義。

東南亞華文小說家們一方面吸收了外國語言和當地土語的營養豐富了自己的文學語言，另一方面又繼承了中國古典文學的優良傳統，把古漢語裏的語言菁華融化在自己的作品中，使文學語言變得典雅雋美，既有中國傳統文化的美學特徵，又有東南亞各國的地方風韻和情趣，這樣，東南亞華文文學語言就兼具了多種文化內涵，形成了與中國小說文學語言不同的特色。

司馬攻的《水燈變奏曲》是把古代語詞與現代漢語，中國文化情結與當地民俗習慣融為一體的代表作。就全文看，似乎全用的是現代規範的書面語，細細探尋，在現代規範語句之中，巧妙融入了中國古代語詞。例如「我獨自走在北風輕拂的路上」，「輕拂」就是中國古代的文學語言。又如「攘往熙來的人群盪在沿河的路上，有前來放水燈的，也有觀水燈的。而我此來則是兩般皆是。」其中「攘往熙來」、「觀」都是中國古代語詞，「而我此來則是兩般皆是」這句話用的是中國的文言語詞和句法，用來描寫當地水燈節的風貌。而富有中國文化氣息的古代語詞還有「如願以償」，「置於我的案上」，「較為幽靜」，「屈膝」，「在暮色與思緒兩蒼茫之中」，「何必」，「茫茫然」，「迎面而來」，「怦然而起」，「悵惘之中悄悄而來」，「希望之光」，「回首」，「只見水波粼粼」。正是這些富有中國文化氣息的古代文言語詞自然融會在現代規範語句之中，使得整篇作品不像小說，倒頂像一首散文詩，既充滿著雋美淒清的中國傳統審美情趣，又縈繞著對水燈寄託的異國風俗思緒。這些富有中國文化氣息的文學語言表現的是當地的民俗水燈節的世態風情，這就使整個文本的每個語句都煥發著兩種文化自然融洽的絢麗光彩。《花葬吟》不但把「瘦如桃花」、「風吹欲透」、「幾許憔悴」等中國古典味十足的語詞自然融入現代語句，而且還直接引用《紅樓夢》中的名句以及林黛玉《葬花詞》裏的詩句。小說借助這些古代語詞不但塑造了富於詩意的陳家三小姐的高雅形象，而且通過陳家三小姐與賣花女命運的對比，揭示了泰華社會貧富懸殊的冷酷現實，使帶有中國傳統美學特徵的古代語詞，打上了泰華社會現代文化的烙印，從而使文本的文學語言具有雙重文化內涵。菲律賓作家小四的小說《鑼鼓聲中》有一段文字寫人：「美純貌僅中姿，而音色迷人，只聽她『咿』啟唇一聲，那種輕柔，那種婉轉，已叫人神為之摧，魂為之折，仿佛看見了家鄉樓頭的春日、溪邊的垂柳。」還有一段寫感想：「在那老樂工的簫聲裏，家鄉是如此近在咫尺又如此遙遠！何處是子胥慟哭的秦庭？何處是多荷的金陵？何處是煙雨嫋邈的江南？」中國古代語詞同現代漢語融合無間，異國情思與中國古老文化渾然天成，寄託了作者在當地文化環境中對中國古老文化的追憶，從而使文學語言既反映了菲華社會的現實情景，又顯示了語言辭彙所負載的中國古老文化信息。新加坡作家尤今的小說既表現出對新加坡社會現實問題的關注，又在她那道地而流利的現代書面語裏透露出中國古代文學語言的神氣。《荒地上的心願》有兩段描寫荒地的文字就明顯蘊含著中國文化的審美情趣和對新加坡現實社會的觀照。例如作者運用「溫柔」、「翠綠」、「墨綠」、「淡雅」、「愛撫」、「叢生」、

「泛出」、「長滿」等語詞描繪眼前的圖景，都是現實社會的寫照。還有「漫漫」、「熙和」、「恣意」、「沁心悅目」、「參差錯落」等中國古代語詞，既蘊含著中國文化的藝術審美情趣，同時又映射出新加坡當代社會的世故人情。這些語詞自然融合為典雅雋美的文學語言，從而使文學文本具有雙重的文化品位，顯得光彩煥發，情趣盎然。荒地在她的筆下變成了令人神往的勝境。

利用漢語的語音特徵來組織語詞，構成富於聽覺美感的文學語言，也是東南亞華文小說文學語言的一個特點。最典型的例子當數尤今《老樹已千瘡百孔》裏描寫市場花攤的一段文字：「攤上的鮮花，以色，以香，以形，去誘人、引人、吸人。杜鵑、雪柳、玫瑰、胡姬、桃花、梅花、菊花、白蓮、玉蘭、鳳仙花、長壽花、康乃馨，等等等等，爭露笑靨，迎風招展。」從音步看，這段文字以兩音節、三音節和四音節的語言單位構成逐級遞升的階梯結構，節奏整齊，明快高昂。從音節的平仄看，「以色」、「以香」、「以形」的第一個音節都是仄聲，與之相配的音節有兩個是平聲；「誘人」、「引人」、「吸人」的第二個音節都是平聲，與之相配的音節有兩個是仄聲。平仄的巧妙搭配造成了動人的音韻美。其餘的語詞也是平聲音節占絕對優勢，整段文字聲音和諧流暢，洋溢著亮麗優雅的情趣，充分顯示了漢字音節的音樂性是構成文學語言特色不可忽視的重要因素。黃東平也很注意利用語詞節奏和音節的搭配造成聽覺美感。《有女初長成》用「塗脂抹粉」、「奇裝異服」描寫摩登小姐還不夠，再加上「打扮得漂漂亮亮，香香噴噴，嘻嘻哈哈，吱吱喳喳，三五成群，驕視一切」。《女傭細蒂》描寫爪哇風光：「藍天、白雲、遠山、稻田、椰林、果樹、村舍、小溪、農民、水牛」，一連用了十個雙音詞，造成整齊的節奏和響亮的樂感。講究句式的整齊和音樂節奏本是中國古代韻文的傳統，東南亞華文小說家把這一傳統創造性地用來作為描寫人物與自然環境的手段，使華文小說的文學語言也具有中國韻文的聽覺美感。

散發著濃郁泥土味的東南亞各國當地語彙，以及英語借詞，還有古代漢語和南方方言裏的一些辭彙，在東南亞小說家們的筆下，水乳交融，流光溢彩，成為當代小說文學語言園地裏風格獨特的一朵奇葩。

四、丁玲代表性文本文學語言審美

㈠ 語段藝術審美

所謂文學語言的藝術功能是指文學語言在具體文本環境中的美學效果。文學語言的表現形式不同，美學效果就會不一樣。表現形式有不同的層次，不同的範圍。就整個文本而言，它包括體裁、篇章結構、敘事方式、語言風格等等；就具體語段而言，它包括語詞的選擇與組合、語句的長短和結構、修辭手段、語音特色等等。這裏僅以丁玲代表性文本的具體語段為例，剖析文學語言的藝術功能。

《莎菲女士的日記》十二月二十四第 2 自然段❶為表現人物沉悶的心境，以有聲的形象和無聲的形象構成沉鬱的意境。有聲形象選取了住客和打電話者，以住客喊夥計的聲音為表達重點。這有聲的形象並不是對人物形象的描繪，而是通過一系列語詞的精心組合，由一群語象構成的意象引起聯想，進而借助聯想產生形象。這個語段一開始就抓住「生氣」這個詞，接著指出之所以「生氣」的環境外因首先就是「聲音」，為了使「聲音」給人以身臨其境的感受，作者選擇了「粗」、「大」、「嘎」、「單調」等形容詞，一連用 4 個「又」把這些互不相干的語詞組合為多角度顯示「聲音」性質的意象群，由此聯想而產生有聲形象。「這是誰也可以想像出來的一種難聽的聲音」，這種「難聽的聲音」正是形容詞和連接詞

❶ 丁玲《莎菲女士的日記》，載《丁玲選集》第二卷，四川人民出版社 1984 年 8 月版第 46－47 頁。

的巧妙運用所造成的形象聯想，聯想產生的形象雖然不像直接的形象描寫那樣具體可感，卻具有如見其人、如聞其聲的美學效果。無聲形象選取了「墻」、「天花板」、「夥計」、「飯菜」、「沙土」、「鏡子」等名詞，以「尤其是」引出一連6個「那」，把這些表示不同環境因素的詞語組合起來，形成令人窒息的環境壓力。這壓力通過一系列各自獨立的語象構成相關的意象，再由意象聯想產生「寂沉沉的可怕」的無聲形象。無聲形象和有聲形象共同營造了沉鬱的環境氛圍，透過環境映現人物心境，這就巧妙地將抽象的「生氣」形象化，藝術地表現了人物的內心世界。

為了把抽象的「生氣」形象地展示出來，作者集中力量揭示人物的心境，而心境則是通過對各種類型的意象組合來表現的。意象的組合除了靠思惟聯繫之外，句法的結構和形式也有一定的作用。為了表現沉悶煩惱的心緒，作者運用了相似性的句法加重煩悶的氣氛，如「那些住客們」、「那聲音」、「那樓下」、「那四堵粉堊的牆」、「那同樣的白堊的天花板」、「那麻臉夥計」、「那有抹布味的飯菜」、「那掃不乾淨的窗格上的沙土」、「那洗臉臺上的鏡子」、「那你的臉」，一連 10 個由「那」構成的偏正結構的短語，單調重複的句式，令人不勝其煩，這正是人物心境在語法形式上的藝術表達。除了運用 10 個由「那」構成的短語營造適合人物心境的語法形式而外，作者還運用「只好」、「只要」、「只我」、「只是」等以限定副詞「只」構成的短語，凸現人物無可奈何的苦悶心境。沉鬱煩悶的環境不僅是人物個人心境的外化，而且是所有處在這種環境之中的人的可怕感受，這表現在第一人稱單數與第二人稱單數敘事人稱的變換：「它們呆呆的把你眼睛擋住，無論你坐在哪方」、「便沉沉地把你壓住」、「這是一面可以把你的臉拖到一尺多長的鏡子，不過只要你肯稍微一偏你的頭，那你的臉又會扁的使你自己也害怕」。不用第一人稱單數而用第二人稱單數作為敘事方法的妙處在於把人物的感受泛化，使讀者感同身受，從而深入人物心靈，與文本中人物的思想情感融為一體。文本中共出現 8 個「你」，僅第三句就不避重複一連用了 5 個「你」，代詞的多次重複加重了沉悶單調的氣氛，同時也與短語「生氣了又生氣」的重複用法相呼應，在句法層次上強化了環境氣氛與人物心境互為表裏的整體藝術效果。長句的運用在形式上比較繁複，在寓意上容易令人產生煩悶層層的聯想，如「真找不出……生氣了又生氣」這個長達 111 個漢字的句子，從麻臉夥計、抹布味的飯菜、窗格上的沙土，到洗臉臺上的鏡子，由遠及近，層層寫出令人生氣的人和事物。句法的重複，句式的綿長，與人物煩悶的心境相得益彰，水乳交融。

為了讓無聲的形象生動起來，作者運用了擬人手法，賦予無生命的物體以行為動作，如墻能把人的眼睛擋住，天花板沉沉地把人壓住，鏡子可以把人的臉拖到一尺多長。化靜為動的修辭手段使沉悶的環境變得既生動又形象，從而更加令人「嫌厭」，令人「害怕」，「令人生氣了又生氣」。為了追求聲情並茂的藝術效果，不少語句的節奏和平仄與語義表達相互配合，如「它們呆呆的把你眼睛擋住……便沉沉地把你壓住」這個長句以擬人手法描寫牆和天花板對人物心境造成的壓力，採用單音節、雙音節、三音節 3 種類型不同的音步錯雜排列，由於每個音步包含的音節數目多少不一，因而音程長短不一樣，語速必然或快或慢。就平仄看，整個語句以平仄間雜為主，形成語音的高低反差。語音快慢不均高低不一，有利於表現煩躁不安的心態。在平仄間雜之中也有變化，如「把你壓住」全是仄聲音節，「把你眼睛擋住」除一個平聲音節外也全是仄聲音節，這些連成一串的仄聲短促低沉，給這無聲的形象添加了「寂沉沉的可怕」陰影，從而增強了語句的藝術感染力。

與《莎菲女士的日記》通過有聲與無聲形象揭示人物心境不同，《太陽照在桑乾河上》第 37 章《果樹園鬧騰起來了》第 9 自然段❷則是通過對果樹園晨景的描繪來表現翻身農民豐收的喜悅。果樹園的晨景包括人與物。寫人的部份文字不多，是概寫；寫物的部份內容豐富，是細描。寫物是為了表現人，寫物越是精細入微，就越能淋漓盡致地展示人的精神風貌。

先看作者是怎樣寫人的。首句即用擬人手法，以關鍵動詞「甦醒」、「飄起」為主幹，選擇有代表性特徵的一群名詞：「大地」、「晨曦」、「果樹園子」、「笑聲」，再加上形容詞「薄明」、「肅穆」、「清涼」、「清朗」，組合成一幅喜氣洋洋的晨樂圖。這幅圖畫由三個意象構成：一是甦醒的大地；二是肅穆清涼的果樹園；三是發出清朗笑聲的人們。語詞映現的語像是構成意象的基礎，對語詞含義的分析有助於發掘意象的內涵。如「甦醒」，就是把大地作為人來描寫，變無生命的大地為有自主行為的生命體。文本表層的意義是指大地在薄明的晨曦中煥發生機，猶如沉睡的人一朝醒來那樣。而深層意義則是指在剝削階級壓迫下的暖水屯貧農在共產黨領導下一朝覺悟，向十一家地主奪回自己的勞動果

---

❷　丁玲《太陽照在桑乾河上》，人民文學出版社 2004 年 3 月版第 180 頁。

實。第 11 自然段在描述沉默的李寶堂第一次感受到豐收的喜悅時，這樣寫道：「他的嗅覺像和大地一同甦醒了過來」，這就點明了作者的意圖。因此，明寫大地甦醒，實指貧農覺醒；明是將物擬人，實是以大地隱喻廣大的貧苦農民。如果說以大地喻翻身農民是曲筆的話，那末「飄起」就是對人們精神風貌的正面描寫。寫笑聲為什麼不用「響起」而用「飄起」？一字之差，意境不同。「響起」側重於聲音的音量，「飄起」著重在聲音的傳播範圍。果樹園空間範圍廣，摘果子的人很多，用「響起」不足以表現果園地域寬、人數多的特徵。用「飄起」不但令人聯想到悅耳的聲波與清涼宜人的晨風，而且造成一種神奇空靈的意境，讓人感受到翻身農民第一次收穫勞動成果的那種由衷的歡樂。

寫物分兩面，一面寫動物，另一面寫靜物。動物以鳥雀的喧噪和甲蟲的亂闖反襯人們歡樂的程度，此是略寫；靜物以樹葉、果子、露珠、果皮、彩霞等物象為重點著力細緻描繪，以相關語象構成一系列意象，展示了一幅神奇瑰麗的果園晨景圖。首寫果子之多，以樹葉為陪襯。繼寫樹葉之濃密，然而濃密的樹葉怎麼也藏不住果子，可見果子之豐碩。次寫露珠的神奇，以霧夜中耀眼的星星作比。閃光的露珠一方面表現了果園在晨曦輝映下的瑰麗景色，另一方面晨露未晞，暗示當家作主的人們很早就已來到果園。再寫紅色果皮柔軟而潤濕，與前文「那一累累的沉重的果子」相呼應，既是豐收的表徵，又營造了一個溫馨的環境。最後寫彩霞，用「點點」、「金色」描繪彩霞的形和色，用「一縷一縷」、「透明」、「淡紫色」、「淺黃色」描繪果樹林反映出的薄光，進一步展現果園的瑰麗景色，象徵翻身農民的美好前程。這一段靜物描寫擅於運用語音重疊的手法增強聲律的美感，構成生動的意象，如寫樹葉在「枝條上微微擺動」，「微微」除了給人以動態感覺而外，自然聯想到清涼的晨風和沉重的果實。文中兩次出現的「密密」一詞，強化了果樹園這一意象，暗示這果樹園不僅肅穆、清涼，而且繁茂。「點點」則是對果樹園裏的彩霞富於個性特徵的描繪，把天上的霞光透過綠葉形成的光影表現得生動細致。作者巧妙地運用樹葉、果實與自然光線所具有的色彩，把它們調配成五色斑爛的圖畫。點點的金色與一縷一縷的淡紫色、淺黃色交相輝映，再加上果子的紅色與樹葉的綠色，整個果樹園成了一個五光十色，瑰麗神奇的世界。作者通過對人們歡聲笑語的正面描寫以及對果樹園瑰麗神奇意境的營造，讓人感受到當家作主的農民對豐收的喜悅，對新社會的熱愛和對未來幸福的憧憬。

《杜晚香》的第一章《一枝紅杏》的第二自然段❸也是寫人並寫物，而且也是通過寫物來表現人的心靈。與《果樹園沸騰起來了》不同的是，這個語段不僅通過景物描寫表現人物心靈，而且直接把筆觸伸入人的內心世界，細緻展現人物的心靈奧秘。

作者營造的景物環境是北方廣袤的高塬。由「藍天」、「白雲」、「高塬」、「大鷹」等名詞為主幹，再加上「寥廓」、「飛逝」、「大」、「平展展」、「漫天盤旋」等形容詞和動詞性短語，組合成一系列富有獨特個性的意象。這些意象構成了杜晚香幼年生活的環境形象。這一環境形象的特徵與人物性格的形成有密切

---

❸ 丁玲《杜晚香》，載《丁玲選集》第二卷，四川人民出版社 1984 年 8 月版第 510－538 頁。

的聯繫，因此，對環境景物的描寫實質上是對人物性格特徵的揭示。語詞組合產生的意象富於象徵意義，如「寥廓的藍天」與「飛逝的白雲」，還有「一直望到天盡頭」的高塬，這三個意象在文本中構成了一個天高地闊的環境形象，這一環境形象不同於南方的平原，它的個性特徵不僅是藍天寥廓，白雲飛逝，高塬大到能一直望到天盡頭，在杜晚香眼裏，還有「零零星星有些同她父親差不多的窮漢們」，還有散散落落的綿羊找草吃。不過，這只是語詞層次上的意義，其實，大塬海闊天空，正是幼年杜晚香舒坦心靈的表徵；大塬上的農民貧苦勤勞，這正是造就杜晚香勤勞樂觀性格的搖籃。漫天盤旋的大鷹，其實是杜晚香幼小心靈的外化，因為大鷹繫聯著晚香對媽媽的期盼。作者給小晚香無形的思念插上自由翱翔的翅膀，化作具有強烈動感的意象，這就把景物描寫與人物性格的形成、人物心靈的揭示融為一體了。

直接展現晚香心靈奧秘的文字充滿熱愛與懷念媽媽的激情：

> 媽媽總有一天要回來的。媽媽的眼睛多柔和，媽媽的手多溫暖，媽媽的話語多親切，睡在媽媽的懷裏是多麼的香甜呵！晚香三年沒有媽媽了，白天想念她，半夜夢見她，她什麼時候回來呵！❹

這段文字在用詞上首先以形容詞「柔和」、「溫暖」、「親切」、「香甜」為核心，與相關的名詞組合成不同的意象，從「眼睛」、

❹ 同上。

「手」、「話語」、「懷裏」等不同方面分別表現女兒對母愛的渴望，這些不同方面的母愛以程度副詞「多麼」為紐帶融會為小晚香心目中的母親形象，這就把不可見的思親情懷具體化形象化了。接著以動詞「想念」、「夢見」坦露小晚香心靈深處對母親的渴想，以時間名詞「白天」和「半夜」點出渴想之切——不分日夜。在句法上以採用相同的句型為主，如第二個語句的 4 個分句都是主謂句，第三個語句的中間兩個分句都是述賓句，相同的句型有助於加強同一類語義和情感的表達，從而使形象具有更強的藝術感染力。這段文字運用的排比句式，從眼的視覺感受，到手的觸覺感受，再到話語的聽覺感受，最後到母親懷抱的整體感受，把小晚香心中的期盼層層推進，感人至深；而對偶句更把白天與子夜相聯，想念與夢見相比，白天不能實現的渴望只能於半夜的夢境去追尋，令人強烈感受到小晚香對母愛的執著與人物性格的倔強。這段文字具有鏗鏘的音律美，因為相鄰的短語幾乎都有相同的語詞出現。如「媽媽」出現 6 次，「多」出現 4 次，「她」出現 3 次，這種「聯珠」用法造成了回環往復的旋律，使語句具有深長的韻味。尤其是疊音詞「媽媽」在語句的相同位置反復出現，更增強了語句的節奏感，它那高亢響亮的平聲音色，富有金屬般鏗鏘動聽的聲韻美。最後兩個短語以「她」為紐帶前後呼應，這種「頂針」手法不但強化了小晚香渴望見到母親的感情，而且同音重複也增添了語音回環的樂感。語詞和語句的音律美與語義內容、句法特徵、修辭手段相互諧調產生的藝術效果，使小晚香心靈中的母親形象更為豐滿，作者揭示的晚香幼年的心靈世界也更真切動人。

對丁玲不同時期代表性文本的個別語段的分析，是從文本的文學語言底層切入的一次嘗試。這種從文本的語言成份和結構出發探索文學文本藝術內涵的視角和方法，為文學批評提供了可資參考的新思路。

㈡ 篇章藝術審美

從純文學的角度評價小說固然能夠給人以啟迪，但僅從純文學的角度審視小說還遠遠不夠，因為文學文本，尤其是優秀的文學文本具有深厚的內涵，從不同視角，不同層次，不同學科領域去觀照它，都會有新的發現，新的價值。由於文學文本是由具體的語言符號按作家的藝術設計構建而成的，因此，從文本的語言層次出發，分析語言符號之間的相互關係，探索語詞、語句、語段、語篇怎樣相互聯繫，怎樣構成文本獨具的音象、語象、意象、形象、意境、風格特徵，是解讀文本，進而分析文本，批評文本，發掘文本藝術審美價值的一條新思路。

語詞的聚合關係表現為相同詞性的一群詞語，在文本當中相互映照，相互激發，為營造特定的藝術氛圍提供語境聯想；語詞的組合關係則表現為不同詞性的詞語在文本中互相聯繫，互相補充，共同構成鮮明生動的藝術形象。藝術形象與語境聯想的自然融合為創造特定的意境提供了優越的條件，而語詞分類聚合與組合的方式千變萬化，由此形成文學文本千差萬別的語言藝術特色。

本文試從語詞的聚合、組合關係和語段的組合關係兩個方面切入，探討《杜晚香》其中的一章——《歡樂的夏天》的語言藝術特徵。

引起聯想是營造特定藝術氛圍的主要手段，但是聯想並非毫無根據的胡思亂想，而必須以文本的語詞為基礎。相同詞性的一群語詞，在文本中相互整合生成具有審美意味的語象、意象或形象，從不同方面為聯想提供了廣闊的空間。請看《歡樂的夏天》開篇的三個語句中語詞的運用：

> 七月的北大荒，天色清明，微風徐來，襲人衣襟。茂密的草叢上，厚厚的蓋著五顏六色的花朵，泛出迷人的香氣。粉紅色的波斯菊，鮮紅的野百合花，亭亭玉立的金針花，大朵大朵的野芍藥，還有許許多多叫不出名字的花，正如絲絨錦繡，裝飾著這無邊大地。❺

先從聚合的角度看名詞的運用。這段文字裏出現的名詞有四個小類：

⑴七月

⑵北大荒、大地

⑶天色、微風、人、衣襟

⑷草叢、花朵、香氣、波斯菊、野百合花、金針花、野芍藥、絲絨、錦繡

四組詞語顯示了與時間、地域、氣候、環境的對應關係，這就在語詞層面上構築了一個特定的時空審美座標，在這個座標內相關語詞「微風」、「衣襟」可能導致觸覺效果，「花朵」、「香氣」可以直接產生嗅覺效果，而一連串花朵的名稱由「絲絨」、「錦繡」加以總括，顯然造成了五彩繽紛的視覺效果。觸覺、嗅覺、視覺多種

---

❺　同上。

效果相互融合，使從未到過北大荒的人產生身臨其境的感受。

其次是動詞的運用。動詞為數不多，但顯示了很強的主觀能動性：「來」、「襲」妙在以人的行為特徵類比自然現象，造成悄悄的、不知不覺的動感；「蓋」把天然的美景異化為人為的安排，把無意識的自然改變為有意的鋪設；「泛出」是一個客觀詞，它與主觀詞「蓋」的表現角度相反，直指香氣的濃郁，這就把不可見、不可捉摸的香氣，轉化為掩蓋不住的，陣陣溢出的波浪形象；「如」則以主觀感受引出喻體，加強視覺形象；「裝飾」賦予無意識的自然景觀以主體意識，營造喜慶氛圍。動詞主體化使由名詞構建的客觀時空帶有主體意識，從而賦予文本擬人化表達效果。由此可見，擬人化修辭手段的語言底層，就是動詞的主體化運用。

再次是形容詞的運用。形容詞是對名詞的進一步形象化、藝術化。例如，「清明」就是「七月」、「天色」的具體描寫；「茂密」是對「草叢」形態的刻畫；「無邊」是對「大地」的宏觀展現。這些形容詞與名詞搭配默契，共同構築了一個天地恢宏、氣象壯觀的北大荒藝術世界。更多的形容詞則指向「花朵」，因為「花朵」是本段描寫的重點。描寫「花朵」的形容詞也有四個小類：

⑴寫香氣：迷人

⑵寫數量：許許多多

⑶寫色彩：五顏六色、粉紅色、鮮紅

⑷寫形狀：亭亭玉立、大朵大朵

除第⑴類強化嗅覺形象外，其餘重在營造視覺形象：花朵種類多，色彩豐富，姿態秀麗，呈現北大荒夏天的歡樂喜慶。

從組合關係看，這三個語句內部語詞的組合形式不盡相同，但有大體一致的趨勢，一是都用短語排列，再是短語的語法結構有一二種占主導地位。第一句包括一個定中短語，兩個主謂短語，一個述賓短語；第二句包括一個省略介詞的介賓短語，兩個述賓短語；第三句包括四個定中短語，三個述賓短語。定中短語和述賓短語占絕對優勢，表明描寫鋪敘是這一語段生成意象和構成形象的主要手段，而意象與形象的藝術審美內涵，則是由意象之間、形象之間的相互整合而產生的。

「北大荒」、「天色」、「微風」、「衣襟」與「七月」、「清明」、「人」等意象的整合，再嵌入「徐來」、「襲」，構成了天清風徐，富於動感的北大荒的環境形象。「草叢」、「花朵」、「香氣」與「茂密」、「五顏六色」、「迷人」等語象整合為「茂密草叢」、「五顏六色花朵」、「迷人香氣」等意象，加以「蓋」和「泛出」前後呼應的聯繫，構成了芳草之上滿是香花的七月北大荒的主要特徵形象。「波斯菊」、「野百合花」、「金針花」、「野芍藥」這些彼此獨立的意象，都與修飾性語象整合為或重於色彩，或重於姿態的具有個性特徵的意象。這些意象再進一步整合為絲絨錦繡般裝飾著的七月北大荒的總體藝術形象。

不過，這僅是語詞相互整合生成的表層形象。有的語象其實還可能生成具有更深層含義的文化形象。所謂文化形象，是指歷史上與某個或某些語詞相繫聯的文化意象在文本環境中與其他意象相互激發而生成的形象。如「天色清明」指天空清澈明朗，表層意象為自然氣象，而在《杜晚香》這一文本環境中，則映射晚香所處時代的政治氣候特徵，映現的是人民當家作主，社會主義祖國欣欣向榮的動人景象。為什麼「天色清明」能夠引起社會清平這一聯想，進而產生具體形象呢？原來漢代學者就已把「清明」與社會政治相聯繫。毛亨認為，《詩·大雅·大明》「會朝清明」的意思就是「不崇朝而天下清明」，但根據鄭玄的看法以及當代學者的考證，其實「清明」即「昧爽」，也就是天剛亮的時候。❻它的含義跟社會政治是否清正廉明毫不相干，但既然後人沿用它指社會政治，久而久之就成了約定俗成的傳統，今天的中國人，在特定文本環境中把它與社會政治面貌相聯繫，並且整合為新的文化形象也就不難理解了。「花朵」除了在植物學層面的含義而外，還有文化學層面的含義，如「祖國的花朵」就可能生成兩種不同的意象。就文化學層面而言，同樣可能生成正反兩類文化形象。一類是自《詩經》、《楚辭》以來與繁榮、幸福、喜慶相聯繫的文化形象，另一類是從花朵的生物特徵引發的輕薄、卑賤的文化形象。就《歡樂的夏天》文本環境而言，毫無疑問，「花朵」映現了七月的北大荒奼紫嫣紅、充滿生機的繁榮景象。

就語段的組合關係看，《歡樂的夏天》由四個自然段構成，段與段之間沒有關聯詞銜接，也缺乏語義邏輯上相互呼應的過渡語詞作為聯繫紐帶，可見語法與語義邏輯不是主要的語段組合方式。綜觀本章的文本結構，它主要依靠的是藝術表現手段來集段成篇。具體說來，就是從宏觀到微觀，從環境到人群，從整體到局部，步步近逼，最後聚焦於杜晚香，以此揭示處於「這美麗天地之間」的大環境中主人公的「幸福的人生」與「崇高的、尊嚴而又純潔」的心靈。

---

❻ 阮元《十三經注疏》，上海古籍出版社 1980 年 10 月版第 508 頁。

第一自然段是一幅七月的北大荒的自然風景畫，這幅畫既有渾厚的油畫色彩，又有電影長鏡頭的恢宏和動感。北大荒的七月，被比作「絲絨錦繡」，她的絢麗華貴的氣派，既非妖豔的貴婦所有，亦非達官貴人的庭苑可比，因為她是造物主著意裝飾的大地之夏，她展示的是宇宙自然最美麗的畫面。色彩的濃郁不僅來自色彩詞語的明示，而且來自擬人化的暗示：「厚厚的蓋著五顏六色的花朵」，花朵不是自動開放的，而是造物主為了增添北大荒的絢麗色彩才給大地「蓋著」的。風景的恢宏，除了花朵顏色的豐富，花朵品種的多樣，花朵香氣的迷人，還得力於「裝飾著這無邊大地」的氣度。裝飾的不是居室，也不是人物，而是「無邊大地」，誰有如此魄力？除了大自然、宇宙之神，誰也辦不到。無論草叢還是花朵，構組的都是靜態畫面，但是看來卻像電影在銀幕上映現。微風不是「吹」，不是「起」，而是「來」；不是「撩起」，不是「掀動」衣襟，而是「襲」，是悄悄侵入，這就很容易借助聯想生成鮮活動人的形象：無邊大地就是濃香噴溢、鮮花搖曳的海洋。用鮮明的意象構組為絢麗的形象，以暗示和聯想使形象生動化，這是第一自然段的基本藝術表現手法。如果聯繫到後文，還可發現裝飾無邊大地的絲絨錦繡暗示社會主義建設欣欣向榮的大好環境，文本表現的生機勃勃北大荒為杜晚香提供了理想的表演舞臺。

昆蟲、飛禽、走獸交織成一幅鮮活的動畫圖景，活躍的動物在草叢、鮮花的背景上展開，顯示了北大荒的無邊大地上無論植物還是動物都充滿勃勃生機，暗示這塊土地上的人群，也會有「活躍的生命」、「幸福的人生」。文本以雙音詞為主幹逐類鋪敘，謳歌北大荒的生命力，使文本富有節奏和樂感，這就為無聲的畫面配上了音樂，有如在鋼琴的伴奏下欣賞動畫。以富有節奏和樂感的詞語鋪敘自然物象，把不同的意象組接在一個畫面上，構成既有視覺感受，又有聽覺感受的視聽形象，是本段文本的亮點。

第二自然段在北大荒的自然背景下推出農場職工熱火朝天的勞動場景。從大自然到農場，從農場到場院，逐步描繪出一幅具有綠、黃、紅、黑四種色彩的圖畫。畫面以紅、黃二色為主要對比色：大面積的金黃色海洋裏馳騁著點點鮮紅的拖拉機、聯合收割機。這種強烈的暖色調恰到好處地表現了勞動的熱烈氣氛。「艦艇」、「海洋」、「走過」、「飛馳」等意象和語象，整合成具有理想化特徵的形象，給畫面增添了富有生命動感的想像空間。動態畫面中的一個鏡頭，就是描繪場院裏勞動者的聲音和喇叭裏播送的音樂所渲染的熱烈氣氛。如果說前者是一幅色彩強烈的豐收圖，那末整個場院描繪就是在演奏勞動者的樂章。文本以排比和字列的規律性長短變化構成節奏，並注意音節的呼應與諧韻，「沸」與「顧」遙相呼應，「盪」、「洋」、「浪」相諧，「間」、「轉」、「喚」也諧韻，使得文本的內容與形式渾為一體，構成豐收的旋律。這旋律通過創造的意象「高山之巔」、「洶湧的海洋」、「小橋流水」，把不可見的聽覺形象轉變成了生動感人的視覺形象，無疑增強了樂章的感染力。

第三自然段由農場推進到勞動者，用特寫鏡頭展示勞動者形象。以「一會兒」為引導排列相似結構的語句，著力描繪年輕婦女們「熱情豪邁」的嶄新面貌。然後鏡頭對準這群婦女的帶領者杜晚香，通過「抬頭環望」、「低頭細看」等語象借晚香的眼睛展示婦女們的勞動熱情與豐收成果，以「珍珠」意象映射「麥粒」來增強感染力。以「提心吊膽」與「默默微笑」對比人物今昔的精神變化，把對比的內心感受外化為歌聲迸發出來，增強了人物情感的表現力度。進一步由點及面，讓晚香的歌聲成為大眾的歌聲，用「情不自禁」暗示晚香的感情代表著人民的感情，從而使晚香形象具有典型意義。

第四自然段把上段的「環望」、「細看」、「踩」、「翻」、「唱」等行為描述提升到對晚香勞動態度的評價。首先用兩個否定句揭示晚香對勞動的感受，繼用一個包含對比的語句陳述她對勞動的執著，再用一個對比句顯示她對勞動報酬的態度，以人們「驚奇的眼光」反襯她既是個平常的「小女子」，更是個有「崇高的、尊嚴而又純潔的光輝」的不平常的女性。無可諱言，這一段主要不是借助形象本身去打動人，而是參與了較多的主觀評價。這就使得語言的藝術感染力不能不打折扣。

總觀全章，作者語言功力的深厚和語言技巧的純熟是顯而易見的。由語詞組合生成的意象和形象，的確具有作家個人獨到的語言藝術特徵。

五、茅盾《子夜》對外語的吸收與融化

魯迅與茅盾等文學大師一向主張吸取古今中外凡是有益於文學創作的營養，其中包括學習外國的文學語言。茅盾曾經引用毛澤東的話說：「要從外國語言中吸收我們所需要的成份。我們不是硬搬或濫用外國語言，是要吸收外國語言中的好東西，於我們適用的東西。」❶不僅如此，他還進一步指出：「從外國作品中去吸收新的語彙和表現方法，必須是在本國語言的基本語彙和基本語法的基礎上去吸收而加以融化。」❷茅盾在這裏提出了一條對待外國文學語言的原則。這條原則包含三個要點：

一、從外國作品中去吸收的，主要是新的語彙和表現方法；

二、吸收不是無條件的，而必須是在本國語言的基本語彙和基本語法的基礎上進行的；

三、不但要吸收，而且要加以融化。這就是說，作家在吸收與融化外國文學語言的過程中，應當發揮自己的創造性。

茅盾把吸收與融化外國語言的過程稱為「加工」，他說：「正因為經過這樣的加工，所以偉大作家們的文學語言是有『個性』的；這個性就構成了他們的各自的獨特的風格。」❸茅盾的《子

❶ 茅盾《新的現實和新的任務》，載《茅盾全集》第 24 卷，人民文學出版社 1996 年版第 254－287 頁。

❷ 茅盾《為發展文學翻譯事業和提高翻譯質量而奮鬥》，載《茅盾全集》第 24 卷，人民文學出版社 1996 年版第 299－318 頁。

❸ 茅盾《關於歇後語》，載《茅盾全集》第 24 卷，人民文學出版社 1996 年版第 294－298 頁。

夜》被公認為具有個人獨特風格的代表作。這裏旨在通過對《子夜》的具體分析，揭示作者吸收與融化外國語言的方式，進而闡述吸收和融化外國文學語言與作者個人獨特風格的內在聯繫。

《子夜》對外國語言的吸收主要有兩種方式。第一種方式是直接運用外文，整部小說共有 9 例（所標頁碼見《茅盾全集》第 3 卷，人民文學出版社 1984 年版）：

1. 向西望，叫人猛一驚的，是高高地裝在一所洋房頂上且異常龐大的霓虹電管廣告，射出火一樣的赤光和青燐似的綠焰：Light，Heat，Power！（第 3 頁）
2. 站在吳老太爺面前的穿蘋果綠色 Grafton 輕綃的女郎兀自笑嘻嘻地說……（第 18 頁）
3. 「不要緊，明天再去一次 Beauty Parlour……」（第 25 頁）
4. 「賭什麼呢，也是一個 Kiss 罷？」
   「如果我贏了呢？我可不願意 Kiss 你那樣的鬼臉！」（第 52－53 頁）
5. 「……我在阿萱身上就看見了詩人的閃光。至少要比坐在黃金殿上的 Mammon 要有希望得多又多！」（第 148 頁）
6. 「還有一個卻不是人，是印在你心上時刻不忘的 Poetic and love 的混合！」（第 171 頁）
7. 「我——送你一本《*Love's Labour's Lost*》，莎士比亞的傑作。」（第 250 頁）
8. 「……我是親身參加了五年前有名的五卅運動的，那時——嚶，『The world is world, and man is man！』嚶……」（第 252 頁）

9.「Reds threaten Hankow, reported！」

這是那廣告牌上排在第一行的驚人標題。（第 304 頁）

一般地說，中國的文學作品不宜過多地直接運用外文。但是，出於文學創作的特殊需要，也不一概排斥外文。一部洋洋三十餘萬言的巨著，就這麼 9 個例子，在 20 世紀 30 年代的文壇上，算是運用外文非常保守，非常謹慎的了。正如作者所言：「在當時的小說中，《子夜》的文字還是歐化味道最少的。」❹對這 9 個例子加以具體分析，可以分為兩種情況：一種情況是在描寫環境或人物時直接運用外文（第 1、2、9 例）；另一種情況是在人物對白的口語中直接運用外文（第 3－8 例）。

下面考察直接運用外文與環境和人物性格有何關係，這體現了作者什麼樣的語言風格。

第 1 例是《子夜》第一章第一自然段的最後一個語句，它是描寫上海傍晚景色最引人注目、最有力度的語句。這個自然段的描寫採用的是由遠及近的鳥瞰視角，從遠處的太陽——蘇州河——黃浦夕潮，直到外白渡橋，然後以外白渡橋為視點，向東、西兩方眺望，這就把最能表現上海傍晚景色的事物盡收眼底。為什麼在環境描寫的最後一句一連用了三個英語名詞呢？從大的方面說，是為了突出 20 世紀 30 年代上海的半殖民地化的社會特徵。當時的社會實際情況就是舶來品鋪天蓋地，商店招牌、商品標誌、銀行、交通標誌、商業廣告，無不摻雜外文符號。在環境描寫中直接運用英語名詞，立即把讀者的思緒拉回 30 年代的社會現實，給人以身臨其境

❹ 莊鍾慶《茅盾的創作歷程》，人民文學出版社 1982 年 7 月版第 202 頁。

的感受。從小說情節的需要看，環境描寫突出洋化特徵，為吳老太爺這個土豪的出場恰好形成鮮明的反差，為表現人物性格特徵起到反面烘托的作用。就本自然段的景物描寫看，最後一句選取的是最能表現上海商品經濟特徵的景觀：異常龐大的霓虹電管廣告，這在當時的上海是非常洋化的新事物。作者在這個語句中運用了「猛一驚」、「異常龐大」、「火一樣」、「青燐似」等一連串雄健的短語，再加上一般讀者看不懂的外文，造成了一種雄奇神秘的環境氛圍，緊緊抓住了讀者的好奇心，為故事情節的展開作了巧妙的鋪墊。

第 2 例對張素素的外貌描寫既是出於塑造人物性格的需要，也是文本反映藝術真實的需要。張素素是一個具有開放性格的時髦女郎，她打扮得越時髦，吳老太爺就越嚇得要命。就 30 年代上海的實際情形而論，Grafton 還沒有一個適當的漢語名詞可以代換，而作為當時上海商業巨頭家庭的青年女子，穿上這種名貴的外國紗，正是時髦的表現，也是高貴身份的象徵。既然沒有適當的漢語名詞可以替換，而塑造人物性格又必須這樣描寫，所以直接運用 Grafton 是難以避免的。至於第 9 例的外文標題，按故事情節的敘述是登載在英國人辦的英文報紙上的。無論從情節的需要還是從藝術的真實考慮，都是非直接用外文不可的。

在人物對白的口語中直接運用外文的 6 個例子共 7 個語句，都出自有較高文化水平的青年之口。第一個是時髦女郎張素素，她在與林佩珊的對話中提到美容館時直接用了英語，充分表現了她追求刺激，追求時髦的個性特徵。第二個是吳蓀甫的遠房族弟、社會學系的大學生吳芝生，他與張素素打賭時，提出賭一個 kiss，這表現了青年大學生既浪漫又含蓄的性格特徵。如果直接用漢字「吻」，就顯得淺露了。吳芝生在與范博文的對白中用了 poetic and love 而沒用「詩意與戀愛」，也是非常切合吳芝生的性格特徵的。這就是作者寧願加注釋點明漢語意義也不願在人物對白中直接用漢字的主要原因。第三個是林佩珊的表哥、詩人范博文，當商界大亨吳蓀甫想要教訓他卻拿阿萱借題發揮時，范冷冷地插了一句雙關語，其中的 Mammon 顯然暗刺吳蓀甫，這當然比直接用漢語「財神」巧妙得多。難怪吳蓀甫氣得直瞪眼。范博文在張素素和林佩珊面前炫耀自己參加五卅運動的經歷時，用英語表述「世界像個世界，人像個人」，聽話的人固然懂英語，而范博文消極頹唐、虛浮自矜的生動形象也躍然紙上。第四個是留法學生、「萬能博士」杜新籜。范博文在大三元酒家等林佩珊，杜新籜說送他一本《愛的徒勞》，當然隱藏著對范的譏刺。不過從表面看來是莎翁喜劇作品的名稱，所以范也只好略略皺一下眉頭。用英語而不用漢語，一方面表現了杜這個「萬能博士」的外語素養，另一方面也揭示了他大方冷雋的個性特徵。

儘管整部小說僅僅只有微不足道的 9 個外文例子，但是它們體現了作者個人特有的求新的語言風格。如第 1 例改用中文未嘗不可，但在語句的新奇，環境的氛圍，與即將出場的人物性格對比的力度等等方面，都要打折扣，這就勢必減弱文本的藝術感染力。何況作者運用外文，是以流利曉暢的祖國語言為基礎，把外文按漢語語法規則組織在語句中的。像這樣直接吸收外文的語言形式為我所用，客觀上體現了文本語言的求新風格。

吸收的第二種方式是純粹音譯。

一部份音譯詞是國名和人名：「巴黎」、「荷蘭」、「巴拿馬」、「莎士比亞」、「司各德」、「巴枯寧（俄國人名）」、「道威斯」、「楊格」（這兩個人名是美國壟斷資本家Dawes和Young）、「荷馬」、「海克托」、「尼祿」（古羅馬皇帝 Nero）、「茄門」（英語German，對德國的俗稱）、「拿破崙」。

另一部份是普通名詞與專用名詞。普通名詞有勃郎寧（手槍的一種，因設計者為美國人 John Moses Browning 而得名）、馬達（英語 moter 電動機的通稱）、雪茄（英語 cigar）、沙發（英語 sofa）、密司（英語 miss）、密斯脫（英語 mister）、打（英語 dozen）、冰淇淋（英語 ice cream）、布爾齊亞（法語 bourgeoisie，資產階級）、沙丁（英語 sardine）、白蘭地（英語 brandy）、咖啡（英語 coffee）、引擎（英語 engine，發動機）、緋陽傘（英語 fiancec，未婚妻）。❺專用名詞有：《麗娃麗妲》（《*Rio Rita*》是當時流行的一部美國電影名）、托辣斯（英語 trust，現譯為托拉斯，資本主義壟斷組織形式之一；又指專業公司）、蘇維埃（俄語 COBET）。這些音譯詞完全按照漢語辭彙的結構形式用單音節、雙音節、三音節和四音節構成。有的新詞如「馬達」、「冰淇淋」、「白蘭地」、「引擎」、「緋陽傘」等，還兼顧漢字表意的聯想特徵和形象特點，賦予了純粹音譯的外來詞以中國文化色彩。「馬達」巧妙地用「馬」暗示動力的意蘊；「冰淇淋」用左邊的偏旁暗示這種食品的冷凍特徵；「白蘭地」用中國花卉的名稱喚起人們美好的聯想；「引擎」用「引」字暗示牽引的意蘊；「緋陽傘」則使

---

❺ 《子夜》裏還出現了「菩薩」和「袈裟」這兩個梵語詞，但中國古代文獻早有記載，所以這裏沒有列入。

人產生鮮明的色彩和形象的生動感。這些音譯詞出現在不同的場合，給文本增添了不少藝術魅力。例如第六章寫吳芝生的一個同學問他：

> 「是你的『緋陽傘』罷？」
>
> 「不，——是堂妹子！」
>
> 四小姐驀地臉又紅了。她雖然不知道什麼叫做「緋陽傘」，但從吳芝生的回答裏也就猜出一些意義來了……❻

這裏用「緋陽傘」試探吳芝生，當然比直接用漢語的「未婚妻」更巧妙含蓄，而且暗示說話者一定是知識份子。同時一箭雙雕地凸現了四小姐靦腆羞澀的性格特徵。可見音譯詞不但為漢語辭彙增添了新鮮血液，而且為藝術表達手段提供了更為豐富的語料。相當數量的音譯詞出現在文本中，使文本語言的清新特徵和時代感更為鮮明。

在吸收的基礎上，作者還進一步融化了外國語言，使《子夜》顯示出與眾不同的獨特風格。

這首先表現在敘述故事、描寫環境的顯著特點是雄健而又精細。如第一章中的下面一段文字：

> 汽車發瘋似的向前飛跑。吳老太爺向前看。天哪！幾百個亮

---

❻ 茅盾《子夜》，載《茅盾全集》第 3 卷，人民文學出版社 1984 年版第 162－163 頁。

著燈光的窗洞像幾百隻怪眼睛，高聳碧霄的摩天建築，排山倒海般地撲到吳老太爺眼前，忽地又沒有了；光禿禿的平地拔立的路燈桿，無窮無盡地，一桿接一桿地，向吳老太爺臉前打來，忽地又沒有了；長蛇陣似的一串黑怪物，頭上都有一對大眼睛放射出叫人目眩的強光，啵——啵——地吼著，閃電似的，衝將過來，准對著吳老太爺坐的小箱子衝將過來！近了！近了！吳老太爺閉了眼睛，全身都抖了。他覺得他的頭顱彷佛是在頸脖上旋轉；他眼前是紅的，黃的，綠的，黑的，發光的，立方體的，圓錐形的，——混雜的一團，在那裏跳，在那裏轉；他耳朵裏灌滿了轟，轟，轟！軋，軋，軋！啵，啵，啵！猛烈嘈雜的聲浪會叫人心跳出腔子似的。❼

這段文字中動詞的運用矯健有力，其妙處在於變沒有主動性的事物為主動的事物。摩天建築會「撲」，路燈桿會「打」，各種顏色，各種形體的混雜的一團，能「跳」，能「轉」。本來是吳老太爺乘坐的汽車快速掠過客觀事物，作者卻換了一個角度，讓客觀事物排山倒海，無窮無盡地向吳老太爺「撲」過來，「打」過來，再加上一連串運動感很強的動詞「飛跑」、「放射」、「吼」、「衝」、「旋轉」、「灌滿」、「跳出」，構成了節奏緊湊、語言雄健有力的藝術氛圍，十分生動地展示了剛從鄉下來上海的吳老太爺對大城市環境格格不入的主觀感受。讓客觀事物「動」起來揭示人物的主

---

❼ 同上，第 10－11 頁。

觀感受，這本是外國文學文本常用的遣詞手段。如茅盾翻譯的短篇小說《一個英雄的死》就有這樣的句子：「這幾千幾萬個漆光耀目並且邊上塗金的喇叭，都開了朝天的大口，正向著他。」「每逢他試要說什麼話，那支針便鑽進他的頭殼，毫無惻隱心地依了腦子的褶皺刺著走咧。」❽但是，茅盾並非機械地生搬外國文學語言，而是根據環境描寫的需要，選擇了幾種具有代表性特徵的客觀事物，賦予它們主動性，把動詞與形容詞的運用相互交織起來，描繪出20世紀30年代大上海的城市特色。

語言的精緻與作者善於使用形容性語詞有關。如形容「窗洞」用「亮」；「建築」用「摩天」、「高聳碧霄」；形容「路燈桿」用「光禿禿的」、「平地拔立的」、「無窮無盡的」、「一桿接一桿地」。形容性語詞使環境具有層次性而自然體現出精緻的特點。這段文字運用了大量的比喻，有些比喻使語言顯得更為精緻形象。如用「像幾百隻怪眼睛」比喻「窗洞」，用「長蛇陣似的一串黑怪物」 比喻「火車」，用「大眼睛」比喻火車頭上的探照燈。由於作者設喻常從大處著眼，較少用靜態的微小的事物作比喻，往往表現出宏大的氣魄。如寫摩天建築撲到吳老太爺眼前是「排山倒海般地」，寫黑怪物衝向吳老太爺是「閃電似的」，寫嘈雜的聲浪則用「會叫人心跳出腔子似的」。這些遣詞精緻的語句結構明顯體現出氣魄雄健的語言特色。

中國小說重故事情節而疏於對環境和人物心理作細緻描寫，但

❽ 茅盾譯《一個英雄的死》，載《茅盾譯文選集》，上海譯文出版社 1981 年 9 月版第 150－157 頁。

《子夜》卻長於細緻描寫。其中固然有多方面的原因，而長句的運用應當是原因之一。長句的特點是在句子的各個主要成份基礎上增加修飾或說明性的次要成份，有時次要成份本身就是一個分句。這並不是漢語的特點，因為漢語從根本上說是重意會而句子形式比較鬆散的語言。作者融化外國文學語言的句法特點，使語句結構精緻嚴謹，這樣便於對環境和人物作更為準確細緻的描寫。正是由於長句和短句的交錯運用，才巧妙地把雄健與精緻的語言特點統一起來。因為短句節奏快，乾脆俐落，適宜表現雄健的語言特點；長句節奏緩慢，細緻綿密，適宜表現精緻的語言特點。例如「吳老太爺向前看。天哪！」「近了！近了！吳老太爺閉了眼睛，全身都抖了。」這些是短句。而「幾百個亮著燈光的窗洞……坐的小箱子衝將過來」是擁有159個印刷符號的長句，「他覺得他的頭顱……跳出腔子似的」也有108個印刷符號。

《子夜》對外國文學語言的融化，還表現於客觀敘述與人物對白運用的句法和語詞有所區別。

客觀敘述往往用長句，結構複雜，語詞新奇。如第一章對蘇州河兩岸風光的描述：「向西望，叫人猛一驚的，是高高地裝在一所洋房頂上且異常龐大的霓虹電管廣告，射出火一樣的赤光和青燐似的綠焰：Light，Heat，Power！」這個句子裏的「廣告」一詞，既是動詞「是」的賓語，又是「射出火一樣的赤光……Power」的主語。動詞「射出」的賓語「赤光」、「綠焰」的前面都加上了比喻性的修飾語；「廣告」前面更是長長的一串修飾語。「叫人猛一驚」本是一個單句，後邊加上「的」字變成短語，這個短語充當了「是……廣告」的主語。而「叫人猛一驚的……Power」又是「向西望」的賓語。語句成份層層疊疊，這顯然融化了外國文學語言的句法特點。人物對白則以口語為主，為表現不同人物的個性特色而具有不同的言語風格。如吳蓀甫言詞專橫尖刻，趙伯韜老練奸詐，屠維岳話中藏鋒，林佩珊溫婉率真，范博文膽怯消極。口語以短句為主，很少用長句。為了更好地體現人物的性格特徵和文化教養，人物對白中有時加入了外文，而客觀敘述則很少直接用外文。

《子夜》裏有一批用外文音譯與漢語固有詞素一起構成的新語詞。英語的 sofa，音譯為「沙發」，然後與漢語詞素「椅」、「榻」、「套子」構成「沙發椅」、「沙發榻」、「沙發套子」。類似的語詞還有：「華氏寒暑表」（其中的「華」是音譯，指德國物理學家 Gabriel Daniel Fahrenheit），「探戈舞」（西班牙語 tango 音譯與「舞」結合），「雪茄煙」（英語 cigar 音譯與「煙」結合），英語 flannel 音譯與「絨」結合為「法蘭絨」，英語 modern 音譯與「女郎」結合為「摩登女郎」，英語 wall 音譯與「紗」結合為「華爾紗」（「華爾」指美國財團 Wall Street），英語 moter 與「腳踏車」結合為「摩托腳踏車」，英語 bar 音譯與「酒」、「間」結合為「酒吧間」，法語 Seine 音譯與「河」結合為「色奈河」（今譯為「塞納河」）。「馬賽曲」也是由法語音譯「馬賽」，再與漢語詞素「曲」構成的語詞。這表明作者不僅吸收了外國文學語言，而且融化了外國語言作為造詞的材料，為漢語辭彙增添了新鮮血液。這些融化了外來語彙的新語詞，使文本的語言充滿了時代感和青春活力，是構成茅盾小說語言雄健精緻新穎特色不可忽視的因素。《子夜》以漢語辭彙和語法為基礎，吸收和融化外國語言成份，創造新語詞和新句法，為豐富我國的文學語言，發展當前的文學創作，提供了有益的借鑒。

主要參考書目

榕樹下圖書工作室選編《2000 中國年度最佳網絡文學》，灕江出版社 2001 年 1 月版
榕樹下圖書工作室選編《2001 中國年度最佳網絡文學》，灕江出版社 2002 年 1 月版
榕樹下圖書工作室選編《2002 中國年度最佳網絡文學》，灕江出版社 2003 年 1 月版
陳思和主編《2001 年中國最佳網絡寫作》，春風文藝出版社 2002 年 1 月版
五朝臣子、李尋歡主編《活得像個人樣》，時代文藝出版社 2000 年 1 月版
蔡智恒《第一次的親密接觸》，知識出版社 1999 年 11 月版
榕樹下全球中文原創作品網編《愛是絕版》，上海文化出版社 2002 年 4 月版
榕樹下全球中文原創作品網編《一個人不如兩個人》，上海文化出版社 2002 年 4 月版
小非等著《一生最美一文·另類卷》，中國工人出版社 2001 年 1 月版
風吹佩蘭等著《一生最美一文·散文卷》，中國工人出版社 2002

年 1 月版
李尋歡主編、蔡駿等著《飛翔》，杭州出版社 2002 年 4 月版
陳宏雅等著《幸福銀行》，中國戲劇出版社 2001 年 12 月版
朱威廉主編《榕樹下》，上海文化出版社 2000 年 3 月版
陳村主編《人類兇猛》，花城出版社 2001 年 4 月版
陳村主編《灰錫時代》，花城出版社 2001 年 4 月版
陳村主編《貓城故事》，花城出版壯 2001 年 4 月版
馬鈴薯兄弟編《中國網絡詩典》，江蘇文藝出版社 2002 年 9 月版
吳潔敏、朱宏達著《漢語節律學》，語文出版社 2001 年 2 月版
何曉明著《姓名與中國文化》，人民出版社 2001 年 7 月版
孔永松、李小平著《客家宗族社會》，福建教育出版社 1995 年 10 月版
洪丕謨編《中國古代十大預測奇書》，中州古籍出版社 1994 年 10 月版
余嘉錫著《世說新語箋疏》，中華書局 1983 年 8 月版
許慎撰《說文解字》，中華書局 1963 年 12 月版
阮元《十三經注疏》，上海古籍出版社 1980 年 10 月版
錢彩等撰《說岳全傳》，上海古籍出版社 1979 年 6 月版
魯迅《故鄉》，載《魯迅全集》第 1 卷，人民文學出版社 1981 年版
魯迅《祝福》，載《魯迅全集》第 2 卷，人民文學出版社 1981 年版
茅盾《子夜》，載《茅盾全集》第 3 卷，人民文學出版社 1984 年版

茅盾《秋收》，載《茅盾全集》第 8 卷，人民文學出版社 1985 年版

茅盾《春蠶》，載《茅盾全集》第 8 卷，人民文學出版社 1985 年版

茅盾《新的現實和新的任務》，載《茅盾全集》第 24 卷，人民文學出版社 1996 年版

茅盾《為發展文學翻譯事業和提高翻譯質量而奮鬥》，載《茅盾全集》第 24 卷，人民文學出版社 1996 年版

茅盾《關於歇後語》，載《茅盾全集》第 24 卷，人民文學出版社 1996 年版

茅盾譯《一個英雄的死》，載《茅盾譯文選集》，上海譯文出版社 1981 年 9 月版

趙樹理《小二黑結婚》，載工人出版社、山西大學合編《趙樹理文集》第一卷，工人出版社 1980 年 10 月版

趙樹理《李有才板話》，載工人出版社、山西大學合編《趙樹理文集》第一卷，工人出版社 1980 年 10 月版

丁玲《莎菲女士的日記》，載《丁玲選集》第二卷，四川人民出版社 1984 年 8 月版

丁玲《杜晚香》，載《丁玲選集》第二卷，四川人民出版社 1984 年 8 月版

丁玲《太陽照在桑乾河上》，人民文學出版社 2004 年 3 月版

莊鍾慶《茅盾的創作歷程》，人民文學出版社 1982 年 7 月版

駱明著《駱明文集》，海峽文藝出版社 1997 年 12 月版

鍾怡雯編《馬華當代散文選》（臺灣）文史哲出版社 1996 年 3 月

版

楊越、陳實編《新加坡華文小說家十五人集》，花城出版社 1988 年 6 月版

尤今《尤今散文選》，百花文藝出版社 1991 年 3 月版

尤今《浪漫之旅》，浙江文藝出版社 1991 年 9 月版

黃東平《赤道線上》，鷺江出版社 1987 年 11 月版

後　記

我的本行是研究中國的文字和語言，與別的語言文字學家不同，我不只是在語言文字學領域內研究文字和語言，而且是常常跳出本行的圈子，從其他學科領域審視、分析、探索文字和語言的奧秘。這種不安份的思惟方式，註定了雲霄飛車般起落懸殊的命運。

早在上世紀 80 年代，我就醞釀寫一部從系統生態學角度觀照漢語的著作，這個願望在吉林教育出版社張景良先生的鼓勵和支持下，研究成果《生態漢語學》於 1991 年得以精裝問世。這部著作在 1994 年被福建省政府授予當時全省語言學科唯一的社會科學優秀成果一等獎。

2001 年，在我國著名茅盾研究專家、廈門大學莊鐘慶教授熱情支持下，我向校方提出招收文學語言方向博士生的申請報告。這個研究方向試圖從語言底層出發探索文學文本的藝術審美功能，反過來又從文學文本的美學內涵及藝術魅力，追尋語言變化發展的軌跡。這是一個跨學科的研究方向，涉及文藝學、語言學、藝術學、符號學等等學科方方面面的敏感論題。報告提出之初，即遭到某個所謂「權威」的強烈反對，被視為離經叛道，不務正業。所幸得到人文學院支持，研究生院批準，文學語言研究方向得於 2002 年招生，當年即錄取臺灣和大陸 3 名博士生。迄今為止，已招收來自新加坡、臺灣和大陸的博士生 5 屆 8 名，其中 2 名已獲得博士學位。5 年來，師生共發表論文 30 餘篇，出版論著 4 部，引起了海內外學者的關注。清華大學中文系主任王忠忱教授在首屆文學語言博士論文答辯會上說：「廈門大學中文系現在設立了文學語言這樣一個研究方向，應該說是處於國際學術的前沿領域。」

網絡文學的興起給文學語言研究拓展了一片嶄新的領域，我申報的研究課題「網絡文學語言研究」被批準為國家語委語言文字應用「十五」規劃項目。2003 年 8 月，《網絡文學的語言審美》脫稿，交人文學院擬作為短學期課程教材出版，交稿後即赴韓國仁荷大學就任客座教授。2004 年回校後不久，因突然發生嚴重變故，書稿不可能出版。待到浴血抗爭平息事態，已是 2005 年之秋。光陰荏苒，2006 年倏忽春盡，看來書稿不打印必長眠硬盤，打印出來則難免補壁蓋醬之虞。正在躊躇之際，6 月 15 日臺北學生書局陳蕙文先生來電郵稱：「先生來稿經敝局編委會慎加研議，認為本書立意甚佳，出版為幸。」如此雪中送炭，春霖之助，在學術書市場萎縮的今天，未具超常眼光者不能為，僅此一點，足令作者敬佩。倘讀者在工餘蹈暇一瞥，得一絲解頤之樂，不亦快哉！

從 2004 年 1 月至 2005 年 8 月，在這不到兩年的時光中，發生了一系列刻骨銘心的事件。這些事件的發生和平息，使我深刻認識到天意不可違，天道不可欺。朗朗乾坤，光天化日，正義終得伸張；卑鄙小人處心積慮，整人害人，聲名狼籍，自食其果，可恥可悲。這本書稿與我共同度過了那段非常時期，是一份寄託感情的物證。在此書出版之際，

我懷著感恩之心虔誠地把她獻給

每一位有良知的讀者；

在險惡環境中伸出援手的各位師友；

　　我還要把她奉獻給

揹負沉重政治包袱、辛苦操勞一輩子的先父，以及因忙於應付急難而未能返鄉送終，對我關懷至切、影響至深的先母；

我的飽經患難考驗的妻子和兒子；

煞費苦心為我紓難解憂的胞姐和胞弟。

　　是為記。

2006 年 8 月 6 日

李國正記于

廈門大學海濱 26 號 202 室

國家圖書館出版品預行編目資料

網絡文學的語言審美

李國正著. – 初版. – 臺北市：臺灣學生，
2007[民 96]
面；公分
參考書目：面

ISBN 978-957-15-1348-5(精裝)
ISBN 978-957-15-1347-8(平裝)

1. 中國文學 – 評論

820.7 96003079

網絡文學的語言審美（全一冊）

著作者：李國正
出版者：臺灣學生書局有限公司
發行人：盧保宏
發行所：臺灣學生書局有限公司
臺北市和平東路一段一九八號
郵政劃撥帳號：00024668
電話：(02)23634156
傳眞：(02)23636334
E-mail：student.book@msa.hinet.net
http：//www.studentbooks.com.tw

本書局登記證字號：行政院新聞局局版北市業字第玖捌壹號

印刷所：長欣印刷企業社
中和市永和路三六三巷四二號
電話：(02)22268853

定價：精裝新臺幣三三〇元
平裝新臺幣二五〇元

西元二〇〇七年三月初版

82076

ISBN 978-957-15-1348-5(精裝)
ISBN 978-957-15-1347-8(平裝)